KB055788

죽지 않는 엑스트라

인타임 페이퍼북 시리즈

죽지 않는 엑스트라 10

발행일 2021년 11월 5일 초판 1쇄 2021년 11월 12일 | **발행인** 김명국 | **책임 편집** 안효정 | **제작** 최은선 | **발행처** 주식회사 인타임 **출판 등록** 107-88-06434(2013년 11월 11일) **주소** 서울시 구로구 디지털로 1길 38-21 이앤씨벤처드림타워 3차 405호 **전화** 070-7732-6293 **팩스** 02-855-4572 **이메일** in-time@nate.com | **ISBN** 979-11-03-31935-9 (04810) 979-11-03-31616-7 (세트)

죽지 않는 엑스트라

10

토이카 퓨전 판타지 장편소설

차례

Chapter 43.
에반 디 셰어든, 도시를 털다

펠라티에서 열릴 던전 축제에 참가하기 위해 많은 사람들이 셰어든에서 나섰다. 비단 후작가 식구들뿐만이 아니라, 평소 셰어든에 상주하다시피 하는 탐험가들 중에도 이번 펠라티 던전 축제만은 참가하려는 이들이 제법 있었다.

그래서 소라인 후작 일가가 펠라티로 떠나는 날 아침, 셰어든의 성문에는 실로 많은 인파가 몰려 있었다.

"도련님, 궁금한 거 하나 물어도 됩니까?"

"뭔데?"

에반을 배웅하러 나온 샤인이 후작저가 있는 방향을 바라보며 에반에게 물었다.

"저택에 게이트가 있지 않습니까? 실크라인의 왕궁과도 통하고, 펠라티와도 통한다고 알고 있었는데 이번엔 이용하시지 않는 겁니까?"

"응, 왜냐면 그건 어디까지나 긴급용이거든. 한 번 발동하는 데 들어가는 재화도 만만치 않고, 따지고 보면 남의 집 안방에 허락도 없이 돌격하는 꼴이라 그리 보기 좋지 않아."

"그러면 이전 도련님의 생일 파티 때 게이트를 타고 오셨던 공주 전하는……."

"레이잖아."

"과연, 그걸로 대답이 되는군요……."

"오빠? 귀여운 레이가 지금 오빠 눈앞에 있는데 정말 너무한 말을 하네!"

"알고 한 말이었는데."

샤인과 세레이나만이 아니다. 이번에 여행을 떠나지 않는 던전 기사단의 마지막 멤버들도 에반을 전송하기 위해 나와 있었다. 눈물을 글썽이는 녀석도 있었다. 에나라든가.

"두 달 이상 못 보게 될지도 모르는데 마지막으로 듣는 오빠의 말이 내 욕이라니, 정말 너무해. 흑흑……."

"방금 내 말을 욕으로 받아들였다면 넌 반성이 좀 필요한데…… 에휴, 이리 와."

"응……? 와아! 오빠가 먼저 뽀뽀해 줬다!"

에반은 잔뜩 삐진 척을 하며 그에게 들이미는 세레이나의 뺨에 못 이기는 척 키스를 해 주었다.

애써 장난스러운 태도로 포장하고는 있어도 에반과 함께 여행에 가지 못한다는 사실에 상당히 실망하고 있는 그녀를 달래기 위한 에반 최대의 성의였다. 예상대로 효과는 만점이었다.

"에헤, 기분이 너무 좋아서 몸이 하늘로 둥실둥실 떠오르는 것 같아……."

"오버하기는."

"좋았어, 오빠가 없는 동안 던전 도시는 맡겨 둬! 내가 철통같이 지킬 테니까!"

"아무 일도 없는 게 제일 좋겠지만, 만약의 경우엔 부탁할게. 샤인, 라이한 형, 부탁해요."

에반은 꺅꺅거리며 달라붙는 세레이나의 머리를 적당히 쓰다듬어 주며 샤인과 라이한에게 부탁했다. 둘 다 믿음직스러운 표정으로 답해 주었다.

"맡겨 두시죠. 지금은 누구에게도 질 것 같은 기분이 들지 않습니다."

"야, 그런 표현은 그만둬, 왜 굳이 그런 불안한 말을 골라서 하는 거야."

“저도 마찬가지입니다, 공자님. 이제 아무것도 두렵지 않습니다.”

“당신들 알고 있는 거지? 지금 알고서 일부러 그러는 거지?”

이들은 아무래도 이번 던전 공략을 성공적으로 끝마치고 나오면서 육체뿐만 아니라 정신적으로도 성장을 이룩한 모양이었다.

아니, 그렇지 않고선 버틸 수 없었다는 쪽이 더 정확할지도 모르지만…… 아무튼 잘 끝났으니 된 것이다.

“그럼 부탁할게요.”

“다녀오십쇼, 도련님.”

“단장님, 안녕히 다녀오세요!”

에반은 샤인을 시작으로 도시에 잔류하는 기사단 멤버들과 한 번씩 포옹했다. 그리고 마지막으로 형, 에릭을 찾았다.

“다녀올게, 형.”

“길 조심하렴, 에반. 무슨 일이 있으면 바로 형한테 연락해야 한다.”

“아버지를 포함해서 많은 사람들이랑 같이 가는 건데 뭘. 선물 사 올게.”

에반의 나이가 이제 열다섯이 되었는데도 에릭은 여전히 에반이 작은 어린아이라도 되는 것처럼 대했다.

에반은 말로는 모자라 그를 안아 들고 살필 기세인 에릭의 모습에 쓴웃음을 지으며 그의 옆에 선 금발의 여성, 밀리아 디 셰어든에게 고개를 숙였다.

"다녀오겠습니다, 형수님. 형을 잘 부탁드려요."

"후훗, 안녕히 다녀오세요, 도련님. 우리 걱정은 말고 느긋이 놀다 오세요."

"네."

불과 얼마 전 후작가의 식구가 된 그녀는 아직 에반과는 어색한 관계였지만 그래도 형과 나란히 서 있는 모습은 참으로 보기가 좋았다. 그림으로 그린 듯한 미녀인지라 에릭과 함께 있으면 아주 살짝 미녀와 야수 느낌이 드는 것도…….

"에반, 이제 출발하자."

"아, 응. 그러면 다녀오겠습니다!"

고향으로 돌아간다는 생각에 살짝 들뜬 아리샤가 에반을 이끌었다. 그는 마지막으로 사람들에게 손을 흔들어 인사를 하며 후작가의 인장이 새겨진 대형 마차에 올랐다.

소라인 후작과 1부인, 2부인과 리즈가 하나의 마차에 타고,

에반과 벨루아, 아리샤가 같은 마차에 탔다.

물론 그들을 호위하는 기사도 각각 동승했는데, 에반의 마차에는 그가 어린 시절부터 그를 곁에서 호위했던 다인이 올랐다. 던전 기사단으로서가 아닌 세어든 2공자로서 움직일 땐 언제나 그와 동행하는 것이 원칙이었다.

"그…… 도련님? 저 여기에 있어도 되는 겁니까?"

바로 그 호위 기사 다인이 벨루아와 아리샤의 눈치를 살피며 에반에게 조심스레 물었다.

벨루아는 그저 에반을 바라보며 가만히 앉아 있을 뿐이지만, 아리샤는 가끔씩 다인을 돌아보며 작게 혀를 차고 있었다. '재는 대체 왜 있는 거야?' 같은 느낌으로.

"그런 느낌이 들지, 다인? 내 존재가 여기에 용납되지 않는 듯한 느낌이. 모두가 날 눈엣가시로 여기는 느낌이."

"예, 아주 절실히 듭니다."

"바로 그래서 다인이 여기 있어야 되는 거야."

"굉장히 심오한 말씀이군요."

정말이지 농담이 아니다. 일주일 동안 같은 마차에 있어야 되는데 감시역이라도 없으면 이 여자애들이 어떤 대담한 짓을 시도해 올지 모르는 것이다!

특히 아까 에반이 세레이나에게 작별의 키스를 해 준 탓에 아리샤는, 심지어 벨루아마저도 조금 삐진 티를 내고 있었다. 아마 조만간 어떤 식으로든 '만회'를 하려 할 터, 에반은 그것을 과하지 않은 선에서 막아 내는 것이 목표였다.

"반드시 일어나야 할 주인공과 히로인의 이벤트를 단지 그 공간에 존재하는 것만으로 깔끔하게 막아 내는 엑스트라의 존재는 어떤 러브 코미디에서든 필수 요소지. 극의 긴장감을 유지하고 해소되지 못한 욕구를 다음 이벤트로 넘기게끔 한다는 점에서 어떤 의미로는 주역보다도 더 빛나는 역할이라고 할 수 있어. 엑스트라 전문인 내가 하는 말이니까 믿어도 좋아."

"제법 그럴듯한 말씀이었습니다만, 마지막 부분에서 신용도가 단숨에 하락하는군요."

다인은 에반이 일부러 제법 큰 목소리로 이런 설명을 하고 있음에도 불구하고 자신을 차가운 눈으로 째려보는 아리샤의 눈길에 살짝 울 것 같은 기분이 되었다. 그나마 벨루아는 속으로 한숨을 내쉴지언정 차를 준비해 다인 앞에도 내놓고 있었다.

"드시죠."

"고맙다, 벨루아."

"루아, 그거 독차야."

"……이런, 실수했습니다."

"허, 허억……!"

역시 지금부터라도 마차에서 내리면 안 될까? 목숨의 위협을 느끼기 시작한 다인은 진지하게 고민했지만 이미 마차는 출발한 뒤였다. 짧고도 긴 후작가의 휴가가 시작된 것이다.

❈❈❈

그날 저녁, 적당한 소규모 도시에 도착한 일행은 그곳에서 가장 고급스러운 식당을 찾아 저녁 식사를 했다.

계속 탈출할 타이밍만 노리고 있던 다인은 식당 경비라는 말을 구실로 다른 기사들과 함께 잽싸게 튀었고, 두 소녀는 바라던 대로 에반과의 시간을 가질 수 있었다.

"그러면 적당한 타이밍이 되었으니 이번 여행의 목표를 설명하도록 하겠습니다."

점원이 가져온 스튜를 휘휘 저으며 에반이 선언했다. 참고로 그의 몫은 다른 두 사람의 몫에 비해서 유독 많았고 고기도 듬뿍 들어가 있었지만 여성 점원이 일하는 가게에서는 매번 보는 풍경이기에 그 누구도 태클을 걸지 않았다.

"이번 여행의 목표라니, 우린 놀러 가는 거잖아?"

"무슨 소리야, 아리샤. 이런 루트로 나올 기회가 앞으로 몇 번이나 된다고."

스튜에 빵을 찍던 아리샤가 고개를 갸웃하며 반문했다. 그 말에 에반은 단호히 고개를 저으며 품에서 작은 지도를 꺼냈다. 퀘스트 수행 지점을 꼼꼼하게 체크해 놓은 지도였다.

"가는 길에 할 수 있는 건 전부 해야지. 우선은 항구도시 팔만이랑 도박의 도시 로이젠. 이 두 군데는 무조건 들를 거야. 가능하면 카를로사 탑도."

"그럼 그렇지, 어쩐지 에반이 순순히 내 초대를 받는다 했어……."

언제나 효율을 지상 최대의 과제로 두고 움직이는 에반이, 던전 도시의 안위를 걱정하면서도 자신의 초대를 받아들이고 펠라티로 떠나기로 한 데에 위화감을 품고 있던 아리샤는 방금 에반의 말로 모든 사태를 완벽히 이해했다.

그러나 에반은 그녀의 말을 듣고 쓴웃음과 함께 고개를 저었다.

"아니, 아리샤. 날 너무 나쁜 놈으로 만들지 말아 줘. 난 어디까지나 네 초대를 받아 여행을 하게 된 김에 할 수 있는 걸

해 두자고 생각했을 뿐이야. 원래 이것들은 몇 년 후에 수거해도 아무런 문제 없다고."

"그렇게 말해 두면 내가 속아 넘어갈 거라고 생각했겠지? 유감스럽게도 아니야. 그런 겉치레에는 속아 넘어가지 않으니 보다 구체적이고 적극적인 행동으로 증명해 줬으면 좋겠네."

이미 에반의 말에 납득해 화가 풀린 주제에 아리샤는 그렇지 않은 척 연기하며 자신의 뺨을 톡톡 두드렸다. 키스라도 해 달라는 얘기였다.

대충 그런 식으로 나올 거라고 예상은 했지만 정말 빠른 타이밍이었다. 에반이 살짝 기막혀하고 있자니 괜히 찔렸는지 아리샤가 할 필요 없는 변명을 했다.

"뭐, 뭐야. 세레이나에게는 할 수 있었잖아? 에반은 친구끼리 그 정도는 할 수 있다고 생각하는 거겠지. 그럼 내게 해도 아무 문제 없잖아?"

"음, 그건……."

"아가씨, 자폭하고 계십니다."

"나도 알아. 그냥 조금 초조했을 뿐이야! 에반, 절대 오해하지 마. 난 그저 내가 너에게 세레이나보다 더 소중했, 읏…… 이게 아니라!"

벨루아의 태클에 결국 성대하게 폭발하는 아리샤. 여기서 그녀를 자극하면 정말 큰일이 난다. 주로 아리샤의 트라우마 쪽으로. 에반은 그저 어색하게 웃을 따름이었다.

"그 얘긴 나중에 다시 하는 걸로 하자. 우선 설명을 이어서 해도 될까?"
"부탁드리겠습니다, 도련님."

에반은 차근차근 이번 여행의 목표를 설명했다. 원래도 그리 무리하지 않은 계획이었는데, 에반의 당초 계획보다 셰어든 던전을 깊은 곳까지 탐험하고 나오면서 던전 레벨이 폭증하여 솔직히 어려운 일은 하나도 없었다.

"그냥 보다 다양한 곳을 여행한다고 생각하자고."
"그러고 보면, 팔만 항구…… 몇 년 전 도련님께서 보고 싶다고 하셨지요."

에반이 꺼내 놓은 지도의 한 점을 짚으며 벨루아가 그리운 표정을 지었다. 언젠가 그녀와 샤인에게 말했던 적이 있었나? 고개를 갸웃하면서도 에반은 그녀의 말에 긍정했다.

"게임에서 워낙 유명한 관광 명소니까…… 아, 그러니까, 예지로 봤다고. 응."
"기꺼이 동행하겠습니다."

"뭐, 재미는 있겠네. 에반이 계획한 것들이니까 재미가 없을 리는 없겠지."

에반이 가고 싶어 했던 곳이라는 말에 호기심이 생긴 것인지 아리샤도 그렇게 말하며 지도를 짚었다.

"축제는 2주 후에 시작인데 어떻게 할 생각이야?"
"아버지 일행이랑은 따로 움직일 생각이야. 이미 말씀드려놨어."
"하여간 빠르다니까."
"던전 기사단만 데리고 가시나요?"
"아니, 몇 명 더 데리고 갈 거야. 오르타랑 주인장."
"……예?"
"어, 응?"

에반의 말을 알아듣지 못한 벨루아와 아리샤의 두 눈이 동시에 점이 되었다. 에반은 그 반응에 유쾌하게 웃어 버리고 말았다. 물론 그 말을 물릴 생각은 하지 않았다.
무엇을 숨기랴, 이번에 그가 들르려고 계획하고 있는 여행지 도박의 도시 로이젠에는, 무려 대장장이와 요리사의 고유 스킬이 숨어 있는 것이다!

"공자님, 부르셨습니까?"

"그런데 도련님은 대체 언제쯤 날 이름으로 불러 줄 셈이우?"

본래 여행에 따라나설 생각은 없었지만 에반에게 설득된 끝에 일행의 한구석을 차지하게 된 오르타와 주인장…… 베인이 뺄쭘한 표정을 지으며 나타났다.

그 모습을 본 순간, 벨루아와 아리샤는 에반과 함께 지낼 낭만 어린 여름은 당분간 미뤄질 것이라는 확신을 얻고 말았다. 실로 불행하게도.

요마대전 시리즈의 모든 비밀을 털어 버리려는 에반의 여행은 이제 막 시작되었을 뿐이었다.

❋❋❋

바로 그다음 날, 에반은 다른 후작가 식구들에게 작별을 고했다. 도박의 도시 로이젠은 그들이 택한 경로를 통해서는 갈 수 없었기 때문이다.

"아쉽구나, 아들과 함께하는 여행을 즐기고 싶었는데."

"볼일만 보고 바로 펠라티로 갈 테니까 거기서 합류해요, 아버지."

"그래, 잘 놀다 오려무나."

후작은 말을 마치고 에반의 옆에 나란히 선 아리샤와, 그 약간 뒤에 물러나 있는 벨루아를 보며 흐뭇하게 웃었다.

"에반이 던전 기사단장이 되고 나면 이렇게 자유롭게 밖에 나오기는 힘들어질 것이다. 그 전에 실컷 놀아 두거라. 특히 벨루아, 너도 맨날 사양만 하지 말고 에반에게 어리광도 부리고 하렴. 이번 여행에서까지 에반의 시중을 들 필요는 없지 않겠느냐?"

"각하, 인자하신 말씀 정말 감사드립니다. ……하지만 도련님께서는 언제나 저의 어리광을 받아 주고 계십니다."

벨루아는 입가에 미약한 미소를 띠며 그렇게 말했다. 이런 때조차 사양하는 걸까, 하는 생각을 하는 후작이었으나 벨루아는 아무래도 진심인 것처럼 보였다.

그렇다면…… 어쩌면 수년간, 그가 모르는 사이 아들이 바뀌었는지도 모른다. 후작은 옆에서 시치미를 뚝 떼고 있는 에반을 보며 히죽 웃었다.

"허어, 그래?"

"예, 물론입니다. 그러니 각하의 염려만 감사히 받도록……."

"나 재 싫어!"

바로 그때 후작의 바지를 붙잡고 있던 엘리자베스가 벨루아를 째려보며 외쳤다. 이어서 얌전히 에반 곁에 붙어 있던 아리샤에게도 삿대질을 했다.

“쟤도 싫어! 오빠는 리즈랑 놀아야 하는데 맨날 방해해! 지금도 리즈한테서 오빠 뺏어 가! 나빠!”

“이런, 이런…… 우리 공주님은 질투가 정말 심하구나. 그러면 대신 아빠가 놀아 주마.”

“아빠 싫어, 에반 오빠가 좋아!”

“커헉!”

후작은 외마디 단말마를 지르며 침몰했다. 언젠가 세상의 모든 아빠가 겪는 일이긴 하지만 엘리자베스가 다소 성숙한 탓에 보다 일찍 그 고통을 겪게 된 것이다.

그때 풀 죽는 남편을 보다 못해 출동한 2부인 미리엄이 벨루아와 아리샤를 향해 날을 세우는 딸을 품에 안으며 말했다.

“리즈, 진정하렴. 어차피 리즈는 에반 오빠랑은 결혼 못 해요.”

“왜에!?”

“잔혹한 현실을 알려 주게 되어 미안하다, 아가……. 하지만 원래 피가 이어진 오빠랑은 결혼을 못 하는 거예요.”

“왜에에에에에!?”

세상이 무너진 듯한 표정을 짓는 리즈(4살)를 품에 안은 채

2부인이 빠르게 퇴각했다. 그러면서 에반에게 윙크를 하는 것도 잊지 않았다. 사소한 오해가 있는 것 같긴 하지만 에반은 굳이 수정해 주지 않고 그저 미소로 답했다.

"그럼 펠라티에서 보자꾸나. 에반, 레이디를 에스코트하는 방법은 알고 있겠지?"
"네, 어머니."
"좋아. 자, 여보, 우린 가요. 리즈의 마음을 돌릴 선물을 같이 찾아봐요."

마지막은 1부인 레디네. 에반에게 단단히 다짐을 시킨 그녀는 여전히 침몰해 있는 후작을 달래며 후작가의 마차로 향했다. 에반이 아버지의 빠른 재활을 바라며 손을 흔들어 주던 그때, 벨루아가 문득 말했다.

"도련님, 혹 일행에 외부인을 참가시켜도 괜찮으실까요?"
"외부인? 루아가 그렇게 말할 정도면 내가 모르는 사람은 아닐 텐데."
"예, 피닉스 길드의 엘로아 폰 시르페입니다."

엘로아 폰 시르페. 그녀는 피닉스 길드에 속한 빙계 마법을 다루는 마도사로, 미래에 던전 도시의 최강자 중 한 명으로 자리매김하는 인재이며 동시에 벨루아의 마도 토론 친구이기도 했다.

뭣보다도, 그녀는 '폰'이라는 미들 네임만 봐도 알 수 있듯 마도국 마나로드의 귀족 자제 출신이다. 이번에 셰어든에서 많은 사람들이 펠라티로 떠나게 되자 그녀도 이번 기회에 고향에 다녀올 셈으로 일행에 참가한 것.

"물론 도련님께서 불편하시다면 거절하셔도……."
"아니, 괜찮아. 남한테 못 보여 줄 일을 하는 건 아니니까."

단지 남이 보고도 믿지 못할 일을 할 뿐이다. 더구나 엘로아 폰 시르페는 던전 도시의 절대적인 우군이라 봐도 좋은 존재고, 벨루아와는 친밀하게 지내고 있는 것 같기도 하니…… 이번 기회에 조금 챙겨 줘도 괜찮을 것이다.

"좋아, 데려가자."
"감사드립니다, 도련님."
"음…… 왠지 안 좋은 느낌이 드는데."

벨루아가 엘로아를 부르러 가는 것을 본 아리샤는 떨떠름한 표정으로 그렇게 중얼거렸지만 그렇다고 그녀를 막을 명분이 있는 것도 아니었기에, 벨루아와 엘로아가 함께 돌아오는 것을 지켜볼 따름이었다.

"동행을 허락해 주어 고맙……습니다, 에반 공자."

둘은 곧 돌아왔다. 이미 서로 얘기가 된 것이겠지. 벨루아와 나란히 선 채 에반에게 최대한 정중한 모습으로 고개를 숙이는 엘로아 폰 시르페의 모습에 그 인사를 받는 에반은 피식 웃어 버리고 말았다.

"말 편하게 해도 돼요."

에반과 함께하고 있을 땐 표정이 온화해지는 벨루아와는 달리 언제 어딜 가든 싸늘한 표정을 유지하고 있는 '얼음마녀' 엘로아가 억지로 경어를 쓰려 노력하는 모습은 특수 마니아층이라면 몰라도 에반에게는 불편할 따름.

따지고 보면 같은 귀족이기도 하고, 그는 일부러 존댓말을 들으려 사람을 괴롭히는 취향은 없었다.

"아, 그럼 감사히. 팔만에 들른다고 들었는데, 맞나?"
"네. 아, 그러고 보면……."
"음."

에반이 뭔가를 떠올린 듯 탄성을 내자 엘로아가 바로 고개를 끄덕여 긍정했다.

"내 부모가 팔만의 영주이니, 부디 대접을 할 기회를 줬으면 좋겠어. 에반 공자는 물론이고 평소 벨루아에게도 많은 신세를 지고 있으니."

"그래 준다면 우리야 영광이죠."

"음, 기대해 줘."

그렇다. 게임에서는 엘로아가 고향으로 돌아가는 묘사 따윈 나오지 않지만, 딱 한마디, 항구도시 팔만을 다스리는 시르페 가문이라는 표현이 있는 것이다.

그래서 마나로드에 시르페 가문이 둘 존재하거나 엘로아가 가명을 대고 있지 않은 이상 그녀는 시르페 가문의 영애일 것이라는 얘기가 있었지만, 솔직히 시나리오에 언급되지도 않는 트리비아에 불과했는데…….

"큭, 과연. 그렇게 나오시겠다?"

"무슨 말씀이신지 잘 모르겠습니다, 아가씨."

에반이 게임에서도 일어나지 않는 친구의 친가 방문 이벤트에 묘한 감회를 느끼는 와중에도 아리샤와 벨루아는 뭔지 잘 알 수 없는 대화를 나누며 서로를 바라보고 있었다.

엘로아는 그 광경을 보며 작게 웃었다. 자신의 어린 친구가 생전 본 적 없는 표정을 짓고 있는 것이 그저 즐거웠던 것이다.

❋❋❋

엘로아까지 합류하여 일행은 두 개의 마차를 나눠 타고 달리게 되었다. 두 마차는 모두 후작가의 인장을 달아 놨으니 인생 종 치고 싶지 않거든 그들의 여행을 방해하는 불청객은 나타나지 않을 터였다.

이번 여행 멤버는 에반, 아리샤, 벨루아, 엘로아, 다인, 오르타, 주인장(베인), 폴, 디토, 린, 란.

사실 린과 란은 나이가 너무 어리기도 하여 다른 일행에게 맡겨 놓고 펠라티에서 합류할까도 고민했지만 폴이 다른 아이들을 모두 자신이 챙기겠다고 하여 기꺼이 동행시키기로 했다. 그러고 보면 폴도 이제 어엿한 12살 소년이었다.

"우선은 로이젠으로 갈 거야. 일단 가서 확인을 해 봐야 알 수 있겠지만 아마도 로이젠은 지금 어마어마한 보물 창고가 되어 있을 거거든."

"오오……!"

"보물! 나도 보물!"

바로 그날 저녁, 숙소에 큰 방을 잡고 일행을 모조리 불러 모은 에반이 주먹을 불끈 쥐며 해설했다. 보물 창고라는 말에 린과 란이 순수하게 기뻐하는 반면, 이미 그 도시에 대해 알고 있는 엘로아만은 눈을 가늘게 뜨며 말했다.

"그 도박의 도시를 가면서 보물이라는 표현을 쓰는 사람은 대개 패가망신해서 돌아오던데."

"그건 그들이 보물을 찾으러 던전에 들어가는 주제에 보호 장비는 착용하지 않았기 때문이죠. 뭐, 그건 나중에 설명해 줄게요."

"음?"

도박의 도시를 던전이라고 표현하는 건 제법 그럴듯하다는 느낌이 들어 조금 놀라워하는 엘로아. 에반은 씩 웃으며 이어서 말했다.

"로이젠은 자유도시야. 아마도 이 세상에서 유일하게 특정한 나라에 속하지 않은 도시지. 더구나 도박을 주 수입원으로 삼는 도시인 만큼 어마어마한 돈이 모여드는 곳인데도 그 어떤 나라의 침공도 받은 역사가 없으며, 도시 내부도 지극히 안전하고 치안이 좋아. 돈만 많다면 평화롭게, 즐겁게 살기 딱 좋은 도시지."

그래서 에반도 한때는 이 도시로의 이주를 진지하게 고민한 적이 있으나, 요마왕을 막지 못하면 이 도시도 짤 없이 날아가기 때문에 이주 문제는 주인공 혹은 샤인이 요마왕을 막아 낸 후 던전 기사단을 은퇴하게 되면 다시 생각해 보기로 했다.

"그게 어떻게 가능한가요? 돈이 많아서 용병을 많이 부린다거나? 아니면 많은 나라의 귀족이 이 도시를 찾기 때문에 암묵적으로 도시를 건드리지 말자는 협약을 했다거나, 혹은 각국에 막대한 세금을 내고 있다거나……."

"아니, 폴. 세금을 내면 기껏 자유도시로 머무르는 의미가 없잖아. 애초에 그런 정치적, 경제적인 이유가 아냐. 로이젠은 향락을 좋아하는 과거의 대마도사가 건설했다는 얘기가 있는데, 이 도시에 해의를 품은 사람은 도시 안으로 들어갈 수조차 없거든."

그렇다. 도시에 물리적, 마법적인 장치가 되어 있는 것이다! 질문을 했던 폴은 상상을 뛰어넘는 현실에 아연해졌고, 마법에 대해 잘 알지도 못하는 일반인인 오르타와 베인은 그저 멍한 표정을 짓고 있을 뿐이었다.

"허, 그것참……."

"아, 더구나 이 안에서 지나치게 폭력적인 행위를 해도 밖으로 쫓겨나. 그런 결계가 쳐져 있는 거지. 그런고로 이 도시에서 자기 방위 목적 이외의 폭력은 절대 금지니까 다들 유념해."

"음, 실로 어마어마한 술식이지. 그 술식을 유지하기 위해 제법 많은 돈이 들어가는 걸로 알고 있지만, 그 정돈 도박장에서 나오는 수입으로 얼마든지 충당이 된다고 한다……."

엘로아가 설명을 보탰다. 뭐, 아마 그런 설정이었겠지. 하지만 사실 그리 중요하지 않다.

도박의 도시 로이젠은 까놓고 말해 제작진이 게임 속 놀거리가 너무 적다는 생각에서 착안해 즉흥적으로 만들어 낸 보너스 스테이지 같은 것이기 때문이다!

그래서 모든 나라의 간섭을 받지 않는 유흥의 도시를 만들어 내긴 했는데, 이 설정을 작중에 녹여 내기 위해 되지도 않는 대마도사의 결계 설정을 집어넣은 것!

다만 제작진이 이곳을 디자인할 때 지구에 있는 도박의 도시 라스베이거스나 마카오를 많이 참고했기 때문에 도시 곳곳에 상당한 위화감이 남아 있는 것만은 어쩔 수가 없었다.

'사실 난 전생에도 그런 곳은 가 본 적이 없으니까 비교도 제대로 할 수 없지만.'

평일에는 공부나 일에 치여 살고 휴일에는 요마대전 3 삼매경이었으니 기껏 돈이 모여도 그런 유흥을 즐길 틈 따위는 없었다.

에반이 휴일을 즐기지 않는 워커홀릭 기질이 심한 것은 어쩌면 살아남고 싶다는 목적의식 외에 그런 전생의 영향이 있는지도 모른다.

"도박의 도시라는 이름에 걸맞게 로이젠에는 무수한 도박장, 그들이 칭하길 플레이 그라운드와 그 플레이 그라운드마다 배정된 '경품 교환소'가 있어. 여기서 경품이라는 건 도박장에서 준비하는 것도 많지만 대개는……."

"도박장에서 돈을 잃은 사람들이 담보로 맡기고 영영 되찾아 가지 못하게 된 물건들이 많지. 에반 공자가 '보물'이라고 칭하는 것들은 바로 이것들을 말하는 거겠지?"

"맞아요. 잘 아나 보네요?"

"……나도 그곳에서 가문의 보물을 하나 잃고 나왔기에. 젊은 날 혈기의 소치야."

음, 어쩌면 그녀가 잃어버린 게 뭔지 알 것도 같은데…… 다만 그것은 본래 이번에 그가 획득하여 벨루아에게 주려 했던 것인데 어떻게 해야 할까.

에반이 그런 고민을 담아 벨루아를 슬쩍 바라보자, 벨루아는 작게 고개를 끄덕이며 말했다.

"저도 가끔은 친구에게 보답을 하고 싶습니다. 전적으로 도련님의 힘에 의존하게 됩니다만, 만약 도련님께서만 괜찮으시다면……."

"응, 루아가 그렇게 생각한다면 그렇게 하자."

"그런데 에반, 이 꼬맹이들을 데리고 그런 곳에 가도 괜찮겠어?"

에반과 엘로아 다음으로 그 도시에 대해 잘 알고 있는 아리샤가 아이들을 가리키며 말했다.

"그곳은 이렇게 어린 아이들에게는 너무 자극적인 곳인데. 성 산업도 활발해서 헐거운 옷차림의 여자나 가벼운 언행을 하는 남자들이 많다고 들었어."

"확실히 그렇긴 한데…… 미리 적응해 두는 게 오히려 좋지 않겠어? 언젠가 인큐버스나 서큐버스랑도 싸워야 하는데."

"혹시 모를까 싶어 말해 두지만, 일단 너희들도 전원 미성년자야."

엘로아가 냉정한 목소리로 말했지만 누구도 듣고 있지 않았다.

다음 날 하루 종일 마차를 타고 달려, 일행은 그날 저녁 자유도시 로이젠에 도착했다.

"안락의 도시 로이젠에 오신 것을 환영합니다!"

"전쟁도 몬스터도 없는 평화의 도시에 잘 오셨습니다!"

에반 일행이 탄 마차가 도시 안에 들어서는 순간, 성문 입구에 서 있던 아리따운 여성들이 일제히 그런 말들을 하며 일행이 탄 마차를 향해 손을 흔들었다.

가슴과 다리를 거의 다 드러낸, 몸에 꽉 달라붙는 가죽옷을 입은 데다 머리에는 토끼 귀 모양의 머리띠를 달고 있기까지, 정말이지 세계관과는 어울리지 않는 이질적인 이미지였다. 에반은 창 너머로 멋진 누나들의 모습을 보며 고개를 절레절레 저었다.

"온천마을 때도 생각했지만 제작진 새끼들 진짜 아무 생각 없이 만들었네."

"엘로아, 도련님은 가끔 이 세상의 이치나 자연과 같은 것들을 원망할 때 제작진이라는 단어를 쓰곤 하시니 기억해 두세요."

"그거 꼭 기억해야 하는 건가?"

"크, 저 쓸데없이 커다란 것들이…… 크윽, 크으으윽!"

벨루아와 엘로아가 담담히 대화를 나누고 아리샤는 창밖을 내다보며 어째선지 분노하는 가운데, 오르타와 주인장이 타고 있는 마차 쪽은 벌써 조금 소란스러워졌다.

그야 건강한 성인 남성들이니 도시에 들어서자마자 보이는 이런 자극적인 풍경을 무시할 수 없겠지. 에반이 한숨을 쉬자 엘로아가 그에게 물었다.

"에반 공자도 건강한 남성이잖아. 더 대놓고 본다고 누구도 뭐라 하지 않을 텐데. 돈이 많으니 저 중 한 명을 숙소로 불러들여도 문제없을 테고."

“뭔 소리예요, 그런 걸 원하면 던전 도시에서도 얼마든 할 수 있는데.”

에반이 코웃음을 치며 하는 말에 엘로아는 아연해지고 말았다. 하지만 곰곰이 생각해 보니 정말 그랬다!

“……하긴 에반 공자라면 돈도 필요 없을지도.”
“뭐, 그렇죠. 얼굴만 보고 덤벼드는 여자는 사양이긴 한데.”
“굉장히 재수가 없는데…… 그럼 뭐지? 성에 관심이 없나?”
“그건 아닌데, 이 화제에 대해선 깊이 얘기하고 싶지 않아요.”

일단 얘기하기 시작하면 찔리지도 않은 복부가 아파 오기 때문에, 이성 관계에 대한 얘기에는 여전히 수비적인 태도를 취하는 에반이었다.
특이하게도 그에게 이성적 관심이 넘쳐 날 터인 아리샤와 벨루아조차 이것에 대해선 별 신경을 쓰지 않는 것으로 보이는데…….

‘아…… 그런가. 이전 벨루아가 했던 말과 연관이 있는 것일지도.’

벨루아가 처음 자신에게 스스로의 감정을 털어놓을 때, 에반은 타인에게 기대는 법을 모른다고 말한 것이 기억났다. 이성 관계도 그중 일부에 속하는 것일지도 모르겠다는 생각이 퍼뜩 들었다.

"너희…… 참 흥미롭구나."

"얼음마녀의 흥미를 끌어내다니 영광이네요. 아무튼 다들 이거나 받아요."

에반은 품에서 미리 준비해 두고 있던 가면을 꺼내 일행에게 전달했다. 코 위부터 이마 아래까지를 가리는, 가면무도회에서나 쓸 것 같은 마스크였다.

"이 도시에선 이게 기본이야. 설령 마스크로 정체가 감춰지지 않더라도, 마스크를 착용하는 것으로 '내가 여기에서 뭘 하든 신경 쓰지 말아 주세요'라는 뜻을 전달할 수 있거든. 그리고 이것도."

초록색 클로버 모양의 금속 배지. 엘로아만은 이것을 알고 있는지 인상을 찌푸리며 그것을 냉큼 제 가슴에 달았다.

"처음 이걸 착용하지 않았다가 굉장히 귀찮은 꼴을 당했지."

"정말 아무것도 모르고 들어갔었구나……. 이 배지는 '난 여기서 순수하게 놀기만 할 거야'라는 뜻이야. 이성이 괜히 다가와 집적대는 걸 방지하고 싶으면 필히 달아 두는 게 좋아."

"이것만 달아 두면 안 건드리는 거야?"
"그럴 리가 없잖아. 그냥 빈도가 줄어들 뿐이야."

마스크를 착용하고 있어도 누군지 아는 체하며 참견하고 싶어 하는 사람들은 넘쳐 나는 법이고, 아무리 이성에 관심이 없다고 표시를 해도 들러붙는 사람 또한 넘쳐 난다. 단지 이런 조치를 취해 두면 일차적으로 사람을 걸러 낼 수 있고, 이차적으로…….

"자기 방위의 설득력이 높아져. 귀찮게 구는 사람을 가볍게 벌해 줘도 문제가 없단 얘기지."
"가볍게 벌해 준다는 말이지……."

아리샤는 그 말에 만족스럽게 중얼거렸다. 어쩌면 이 녀석은 도시에 들어선 첫날에 폭력 행위로 쫓겨날지도 모르겠구나, 그런 생각이 든 에반은 여기에선 좀 더 아리샤에게 붙어 있으면서 관리해야겠다고 다짐했다.

"애들은? 안 달아 줘?"
"진정해, 아직 폴이 12살이야."

그야 물론 에반의 나이 12살 때에 그는 이미 주위 이성에게 성적인 시선을 제법 많이도 받았지만 그건 에반이었기 때문이다. 더욱이 그런 관심을 받는 것과 직접적인 접근을 받는 것은 또 다른 얘기이기도 했다.

"우리가 나서기 전에 다른 사람들이 그 불순분자들을 처리해 줄 테니 그 문제는 안심해 둬."
"그렇긴 하겠지."
"그럼 우선 숙소로 가자."

던전 도시에서는 에반이 평소 사치하지 않는다는 이미지가 널리 퍼져 있는데, 그것은 에반이 돈을 쓰고 다닐 시간이 없어서이지 딱히 그가 사치를 싫어하기 때문은 아니었다.
물론 마냥 길바닥에 돈을 뿌리고 다니는 건 아니지만 돈을 쓸 수 있는 상황에서 무조건 아끼기만 하는 것도 아니었다.
예를 들면 숙소. 던전에서 노숙을 해야 할 때와 같은 특수한 상황을 제외하곤 그는 언제나 가능한 한 최상의 환경에서 잠들고 싶어 했다.

"에반 님, 체크인 완료되었습니다. 부디 래빗하우스에서 좋은 시간 되시길 바랍니다."
"자, 다들 올라가자."
"와, 넓네요."

그래서 그가 예약한 숙소가 바로 이 도시에서도 가장 거대한 규모의 카지노 래빗하우스에 붙어 있는 동명의 최고급 호텔 스위트룸이었다. 그것도 세 개를 빌려 인원수에 맞춰 나눴다.

"오, 숙소 내부도 넓어서 좋네. 루아, 침대의 쿠션감은 어때?"
"훌륭합니다. 도련님께서 주무시기에 불편한 점은 없으리라 봅니다."
"……에반 공자, 대체 이 스위트룸을 빌리는 데 얼마나 들었어?"

평소 후작저나 던전 기사단 본부 등 만만치 않은 최고급 시설에 머무르는 만큼 벨루아와 아리샤는 태연히 방을 둘러보고 있을 뿐이었지만, 던전 도시로 올라온 후로는 귀족다운 생활을 그리 즐기지 못했던 엘로아는 입술을 부르르 떨며 경악하고 있었다.

"알면 엘로아 심장에 별로 안 좋을걸요. 그래도 저한테 부담되는 액수는 아니니까 신경 쓰지 마요."
"후작도 아니고 후계자도 아닌 2공자가 이 도시 최고급 호텔의 스위트룸을 셋씩이나 빌리다니……."
"이제 제가 아버지랑 형보다 돈 많아요."

에반이 스스로 재킷을 벗어 옷걸이에 걸며 그렇게 담담히 말하는 모습에 엘로아의 가슴이 순간 두근거렸다. 저 당당함과 여유로움이 그렇게 눈부실 수가 없었다.

다른 누구도 아닌 던전 도시의 주인보다 돈이 많다는 얘기를 저렇게 담담하게 하다니! 재력에 반한다는 건 과연 실존하는구나, 그녀는 처음으로 깨달았다.

"……엘로아?"

"아, 아니. 아니다, 벨루아. 그저 돈이 많다는 건 멋진 일이라고 생각했을 뿐이야."

설마 아군이라고 데려온 사람이 적으로 돌아서는 것인가 싶어 눈을 가늘게 뜨는 벨루아에게, 엘로아는 당황스레 손을 내저으며 변명했다.

그러나 안타깝게도 그건 벨루아의 경계심을 북돋울 뿐이었다. 그녀가 지그시 엘로아를 노려보고 있는 옆에서 아리샤가 팀의 분열에 즐거워했다.

"후훗, 재력도 훌륭한 매력 요소 중 하나인걸. 하지만 그걸 노리고 덤벼드는 여자를 에반이 상대해 줄지는 모르겠네."

"그래도 얼굴 보고 덤비는 것보단 낫지 않아?"

"……어?"

그런데 그때 아리샤의 말에 에반이 의외로운 대꾸를 했다. 거기에 오히려 아리샤가 당황했다.

"외모는 세월이 지나면 붙잡을 도리가 없이 사라지지만 돈은 나만 잘하면 계속 지킬 수 있으니까. 그러니 상대가 내 재력을 매력으로 느껴 준다면 다행한 일이지. ……배신당할 가능성은 그만큼 줄어들 테니까."

"에, 에반은 나이를 먹어도 멋있게 늙을 테니까 괜찮아. 자신감을 가져."

지금은 물론 아니지만 시작만 따지면 명백히 에반의 얼굴에 반해 그에게 다가왔다고 볼 수 있는 아리샤는 무척 당황했다. 지금은 물론 아니니까 괜찮지만!

그렇지만 얼굴 외에 자신이 에반의 어떤 요소를 좋아하는지 하나하나 설명하기 시작하면 엄청나게 부끄러워질 것이 분명하기에 결코 말할 수는 없다!

"뭐, 지금 중요한 건 그게 아니고. 애들은 자?"

"조금 전 확인하고 왔습니다. 폴이 아이들을 재우고 자신도 잠든 것 같습니다."

"하긴 아이들은 잠들 시간이니까."

방 배분은 원래 에반과 다인, 오르타와 주인장과 폴과 디토, 나머지 여성 멤버로 나누려고 했다.

그러나 벨루아가 에반의 잠자리를 자신이 살펴야 한다며 물러서지 않았기 때문에 어쩔 수 없이 다인을 남자들 방으로

보내고 벨루아를 자신의 방으로 데려오려고 했더니,
이번엔 아리샤가 둘만 같은 방에 놔두는 것은 있을 수 없는 일이라며 반발했기에 결국 아리샤도 이쪽으로 방을 옮겼고,
졸지에 린과 란 쌍둥이 자매와 같은 방에 홀로 남게 생긴 엘로아가 차라리 자신도 함께하겠다며 따라오는 바람에 어쩔 수 없이 폴과 디토를 아이들 방에 집어넣은 결과…….

"새삼스럽지만 정말 왜 이렇게 된 걸까……."

에반이 벨루아, 아리샤, 엘로아와 같은 방을 쓰게 되어 버렸다. 물론 이곳의 스위트룸엔 킹사이즈 베드가 놓인 침실이 세 개나 딸려 있었기에 별문제는 없었지만…….

"도련님도 주무시겠습니까? 잠자리를 정리해 드리겠습니다."
"이미 호텔 측에서 어련히 다 알아서 해 놨는데 뭐. 그리고 당장은 안 잘 거야. 카지노는 이제부터 본격적으로 돌아가고 있을 텐데."

에반은 실내에서 돌아다니기 편한 정장 차림을 한 후 얼굴에 마스크를 착용했다. 찬란한 미모의 0.1%나마 감춰 보려는 시도였지만 오히려 신비한 매력을 더해 주는 부작용만을 낳았다.

에반을 상대하는 딜러의 심장을 두근거리게 해 실수를 유도하려는 의도였다면 대성공이라고 볼 수 있었다.

"오늘 밤의 목표물을 정해 놨어. 엘로아, 가요."
"음? 나?"
"네, 벨루아랑 아리샤는 쉬고 있어도 되는데."
"동행해도 불편하지 않으시다면……."
"따라가도 돼?"
"응. 뭐, 그럴 줄 알았어. 그럼 가자. 마스크랑 배지 잊지 말고."

에반은 일행을 주르르 이끌고 나와 다인 일행이 머무르는 방을 노크했다. 풀 무장 상태의 다인이 튀어나왔다. 오르타와 주인장은 빠르게도 한 잔씩 하러 나간 모양이었다.

"……다인, 혹시 계속 이러고 있었어?"
"저는 도련님의 호위 기사니까요. 방에서 나오시거든 바로 수행할 준비를 하고 있었습니다. 본래 같은 방에서 모시는 것이 당연합니다만……."
"아니, 방에 있을 땐 쉬라고. 필요할 땐 바로 부를 수 있으니까 평상시엔 갑옷 좀 벗고 있어."
"그렇게 하겠습니다."

고개를 끄덕이며 그렇게 말하는 다인이었으나 그가 그렇게 하지 않을 것임은 에반도 잘 알았다. 이렇게 훌륭한 사람인데 왜…….

"다인, 이 마스크 써. 오르타랑 같이 내가 심혈을 기울여 만든 아티팩트야. 좀 더 멋져 보이게 해 줄 거야."
"아티팩트!?"
"응. ……배지는 하지 말고."
"배지?"
"그런 게 있어. 다인은 신경 쓰지 마."

에반의 호위 기사 다인은 올해 서른이 되었다. 능력도 출중하고 성격도 너무나 좋은데 어째선지 아직까지 좋은 인연을 만나지 못했다.
부디 그가 이 도시에서 좋은 인연을 만나길 바라며 에반은 그에게 직접 매력 향상 기능이 첨부된 마스크를 씌워 주었다.

"그럼 에반이 쓰고 있는 건 뭐야?"
"내가 착용하고 있는 건 보호 장비."
"보호 장비?"

바로 어제 들었던 말이다. 그런데 그게 비유적인 표현이 아니었다고? 엘로아가 고개를 갸웃했지만 에반은 히죽 웃을 뿐이었다. 그때 그를 빤히 보던 벨루아가 뭔가 알아차렸다.

"……도련님, 귀걸이와 목걸이가 평소와 다르십니다."
"어라, 장갑도 벗었어!?"
"로즈가 준 반지도……."
"응, 요마왕이 나타나기 전이니 여기 마족이 들어올 리도 없고. 부츠만 빼고 전부 인벤토리 포켓에 넣어 뒀어."

평소 슬라임 수련과 자기 방어 목적을 위해 므이라슬의 목걸이를 시작으로 장신구들과 장갑 같은 아티팩트를 착용하고 다니는 에반이었으나 지금은 그것을 모두 벗어 버리고 만약의 상황을 대비한 부츠만을 착용하고 있었다.

"그 대신 보호 장비로 도배한 거지."

형제 코퍼레이션의 재력과 정보력을 활용, 온갖 경매장을 털어 간신히 구한 다섯 개의 장비.
얼굴 반을 가리는 마스크, 반짝이는 코인 형태의 순금 귀걸이, 순금 목걸이, 순금 반지, 마지막으로 순금 팔찌까지.
이렇게 말하긴 그렇지만 굉장히…… 굉장히 졸부 같아 보이는 패션이었다. 다만 에반이 하니 그것조차 어울려 보이는 것이 실로 놀라웠다. 장신구가 사람 덕에 빛나고 있었다.

"잠깐만. 그거 전부 아티팩트야?"

"응, 보호 장비라고 했잖아? 전부 아티팩트야. 모두 한 가지 능력만을 지닌 아티팩트지."

이 아티팩트들은 오직 한 가지의 스테이터스를 증폭시켜 주는 효과를 갖고 있다. 분명히 존재는 하고 있지만 그 용처가 너무나 애매한 탓에 굉장히 특수한 상황이 아니면 건드릴 일이 없는 스테이터스.

회피 확률, 치명타 확률, 돈 획득률 증가, 드롭템 증가, 퀘스트 보상 증가 등등 굉장히 애매한 부분에만 적용이 되는 스테이터스…….

"바로 행운을 올려 주는 아티팩트 세트야. ……그러고 보니 처음으로 입어 보는 세트 장비네."

행운. 그 애매하기 짝이 없는 스테이터스가 다른 어디보다도 필요해지는 장소가 있으니.

바로 행운으로 승자와 패자가 갈리는 도박의 도시, 로이젠이다.

세트 장비란 말 그대로 특정한 짝을 갖추어 입었을 때 이전에 없던 새로운 효과를 얻을 수 있는 장비를 말한다. 당연히 전부 아티팩트로 구성되어 있는 만큼 게임 내에서도 세트 장비를 얻기는 무척 힘든 일이다.

'특히 게임 정보가 게시판에 정리되어 있지 않은 이 세상이라면 더더욱 세트를 갖춰 입기 힘들지.'

하지만 에반은 재력을 확보한 이래 다종다양한 세트 장비를 틈틈이 구해 왔었고, 이 '황금왕' 장비 또한 그중 하나였다.

황금 귀걸이, 황금 목걸이, 황금 반지, 마지막으로 황금 팔찌까지 총 네 개의 아티팩트는 각각 행운을 큰 폭으로 증가시켜 주는 힘을 갖고 있는데, 네 가지를 모두 갖춰 입을 경우 거기서 행운이 다시 큰 폭으로 오를 뿐 아니라 하루에 한 번뿐이지만 장비에 포함된 고유 스킬을 발동할 수도 있었다.

그 스킬의 이름은 바로 '황금 주사위'. 단 30분간 행운을 무려 다섯 배로 끌어올리는 스킬이다. 슬슬 눈치챘겠지만 스테이터스를 행운에 올인해 높은 회피 확률과 치명타 확률만 믿고 요마대전을 클리어하려는 변태 독극물들이 바로 여기에 관심을 가졌고, 연구를 시작했다.

"그 과정에서 또 예상치 못한 버그를 발견했단 말이지……."

이쯤 되면 인정해야 할지도 모른다. 요마대전 시리즈는 갓겜이라고 불리고는 있지만 사실 제법 많은 버그가 존재했다는 사실을! 아니, 오히려 버그가 있었기 때문에 게임은 더 많은 인기를 끌 수 있었다는 사실을!

"엘로아, 버그라 함은 세상의 이치에서 어긋나는 빈틈, 혹은 인간은 인지할 수 없는 이적을 이릅니다."
"에반 공자는 재미난 말을 많이 알고 있네."

본래 세트 장비에 포함된 스킬은 발동 중 세트에 포함되는 장비 중 일부를 벗으면 바로 발동이 끊기게 된다. 황금왕 장비에 포함된 고유 스킬인 황금 주사위 역시 마찬가지였다.
그런데 문제는, 정말 어째선지 모르겠지만 장비를 떼어 내는 동작으로 스킬을 중간에 캔슬하면, 나중에 다시 장비를 착용했을 때 멀쩡하게 다시 스킬을 사용할 수 있었던 것이다! 하루 1회 제한이 붙은 스킬인데!

"그래서 결국 어떻게 수정이 되었냐면, 중간에 장비를 일부 해제해도 스킬이 해제되지 않게 됐어. 독극물 입장에선 재미없게 됐지."

참고로 전생의 여반민 또한 이 장비를 구한 적이 있는데, 그는 행운 플레이를 노린 것이 아니라 단지 이 장비를 착용하면 에반이 죽을 확률도 조금은 줄어들지 않을까 생각했을 뿐이었다.
다만 그 실험의 결과 에반의 죽음은 그의 행운 스테이터스와는 전혀 관련이 없다는 것을 알게 되었을 뿐 별 소득은 없었다. 물론 그때의 그 경험이 있기 때문에 에반이 자신의 행운을 걸고 이런 도박장에 올 수 있었던 것이기도 한데…….

"그러면 뾰족한 기술이 있던 것은 아니군. 우리는 전력 외인가?"

"네, 다들 그냥 마음 편히 놀면 됩니다. 엘로아한테 함께 와달라고 한 건 확인해 줬으면 하는 게 있어서. 가문의 보물 말이에요."

"아……."

에반이 벨루아와 나누는 대화를 들었기에 대충 짐작은 하고 있었지만 그의 입으로 들으니 또 묘한 기분이었다. 그녀는 에반에게 정중히 고개를 숙였다.

"보물을 되찾아 주겠다고 말해 준 것만으로도 고마워."

"말로 안 끝낼 거니까 나중에 확인이나 해요."

에반은 우선 교환소로 찾아가 금화를 카지노 칩과 교환했다. 어차피 금방 불릴 수 있다는 생각에 가볍게 금화 5천 개 가치에 달하는 칩을 바꾸었을 뿐인데 어째선지 그것만으로도 경악의 시선을 불러 모았다.

“……그냥 이렇게 돈이랑 칩을 교환해서 바로 경품을 얻으면 되는 것 아냐, 에반 공자?”

“그래서야 재미가 없을뿐더러 감당도 안 되잖아요. 뭣보다 게임의 승패로만 경품을 받을 수 있는 곳도 있으니까 어쨌든 게임을 하긴 해야 해요.”

에반은 칩 일부를 벨루아와 아리샤에게도 나눠 주려 했지만 둘은 딱히 게임을 즐길 마음은 없는 듯했다.

“에반이 하는 쪽을 보는 게 훨씬 재밌을 테니까.”

“도련님을 수행하겠습니다.”

“그래, 그럼 바로 시작해 보자.”

새삼스럽지만 에반 일행은 지금 시점에서 이미 카지노 내에서 상당히 주목을 받는 이들이었다. 마스크로 얼굴을 가린다 해도 흘러나오는 기품과 미모를 모두 다 가릴 수는 없는 법이니까.

여기에 더해 추가 멤버인 엘로아 또한 어디 가서 빠지는 인물은 아니었기에 한층 관심이 더해졌다. 만약 이들이 나란히 클로버 배지를 달고 있지 않았더라면 단지 멀리서 바라보는 게 아니라 그들에게 접근해 오는 이들로 인산인해를 이루었으리라.

"한잔하시겠어요?"

"오, 그럼 기꺼이…… 아아아앗."

"술은 안 됩니다, 도련님."

토끼 귀 머리띠를 쓰고 다가온 바니걸에게서 샴페인 잔을 자연스럽게 받아 들려는 에반을 다인이 조용히 제지했다.

카지노에선 손님들이 취하면 취할수록 더 돈을 뜯어내기 쉬워지는 만큼 기꺼이 주류를 제공하는데, 불운하게도 주위 모든 사람이 에반의 음주를 막기 위해 행동하고 있었다…….

그 덕에 또렷한 정신으로 베팅할 수 있게 되었으니 정말 다행한 일이었다!

"에휴, 그럼 이걸로 시작해 볼까."

"어머나, 멋진 손님들이시네요. 래빗하우스에는 처음?"

"응, 처음이야. 이게 제일 쉬워 보여서."

그렇게 말하며 에반이 도전한 것은 바로 지구의 바카라와 기본 룰은 완전히 똑같고 이름과 세부적인 베팅 룰만이 다른 '래빗나인'이라는 게임이었다.

간단히 설명해 플레이어와 뱅커가 딜러로부터 두 개 이상의 카드를 받아 그 숫자의 합이 9가 되거나 그에 가까운 사람이 이기며, 이때 게이머들은 플레이어 혹은 뱅커에게 베팅해 맞춘 쪽이 건 돈의 두 배를 가져가는 시스템이다.

카지노의 왕이라고 불릴 만큼 유명한 게임인데, 유명하다는 것은 즉 게이머들은 엄청 불리하고, 카지노가 돈을 끌어모으기에는 적합한 게임이라는 얘기였다.

"아…… 안 된다, 에반 공자. 이건 안 돼. 쉬워 보이지만 안 돼."

"응, 엘로아가 어디서 돈을 잃었는지 알 것 같네요."

엘로아는 래빗나인 테이블에서 그들을 반갑게 맞이하는 여성 딜러의 얼굴을 보자마자 부르르 떨기 시작했다.

트라우마가 될 정도였다니, 에반은 고개를 절레절레 저으며 테이블을 둘러싼 사람들을 둘러보았다. 제법 사람이 많다. 다행히도 방금 한 게임이 끝나고 딜러가 카드를 정리하고 있었다. 당연하다는 듯 토끼 귀 머리띠를 달고 있는 바니걸 차림의 딜러였다.

"가볍게 걸어 보시겠어요, 공자님?"

비록 천박한 액세서리로 전신을 두르고 있어도 에반의 기품이 사라지지는 않는다. 더구나 함께하고 있는 여성들, 결정적으로 호위 기사까지 대동하고 있는 모습에 그의 신분을 대충 파악한 딜러가 부드러운 말투로 제안했다.

"응, 해 볼래."

에반은 순진한 귀족가 공자를 연기하며 테이블에 달라붙었다. 아리샤와 벨루아가 그 옆에 찰싹 달라붙자, 주위 사람들의 시선이 일순 그에게 쏠렸다가 빠져나갔다.

이 순간 딜러를 제외한 모든 이가, 심지어 카드 게임을 플레이하는 주체인 플레이어와 뱅커마저 모두 같은 생각을 했다. 어떻게든 이 짜증 나는 꼬맹이가 돈을 잃게 만들고 싶다는 생각을!

"우선 가볍게 칩 하나만."

"뭐……!?"

"가볍게? 부잣집 도련님이시군."

에반이 꺼낸 칩은 새카만 블랙 칩. 금화 100개의 가치를 지닌, 이 카지노에서 취급하는 최고 단위의 칩이었다.

새로운 챌린저가 등장하자 테이블로 몇 명인가의 사람이 더 몰려들었다. 에반 본인이나 그와 함께 있는 여성진에게 말을 걸려는 시도도 있었으나, 다인의 굳은 얼굴이 그들을 막았다. 그런 와중에 에반은 기어이 플레이어의 승리에 블랙 칩 하나를 걸었다.

"그러면 오픈하겠습니다."

가장 많은 돈을 건 이는 에반이 아닌 다른 손님이었다. 뱅커 쪽에 건 그는 어떻게든 에반이 돈을 잃었으면 하는 바람과 함께 카드를 뒤집었고…….

"아……."
"저 빌어먹을 꼬맹이가 땄잖아!"
"이런 젠장!"

결과는 플레이어의 승리였다. 물론 딜러가 의도한 바였다. 첫 게임은 이기게 해 주는 쪽이 더 달아오르기 쉽기 때문. 즉 상술이라는 것이다.

다만 그런 기본적인 사항을 알고 있을 손님들조차 진심으로 에반이 딴 것을 한탄하고 있었다. 심지어는 플레이어 쪽에 걸었던 손님들까지 혀를 차고 있었다!

"이거 재밌네!"
"후후, 그렇죠?"

한 개의 칩이 떠났다가 두 개로 돌아왔다. 그 순간의 쾌감은 쉬이 잊을 수 없는 법이다. 딜러는 반짝이는 에반의 눈을 보며 오늘도 성공적으로 호구를 한 명 낚았다고 확신했다.

"다음엔 뱅커 쪽에 걸래!"

"서두르시네요. 오늘 밤은 길답니다, 천천히 즐기세요."
"이봐, 공자. 베팅은 조용히 하는 거야."

게임판이 몇 번 더 돌아갔다. 에반은 몇 번 가볍게 잃거나 따거나 하면서 종합적으로는 본전보다 제법 많은 칩을 보유하게 되었다.

쉽게 말해 기세에 오른…… 것이라고 스스로는 생각하게 되는 타이밍을, 딜러가 유도한 것이다.

적어도 딜러는 그렇게 생각하고 있었다.

"이제 좀 크게 가자, 플레이어 쪽에 다섯 개!"
"크게 나오는데!"
"좋다, 꼬맹이. 누가 이기나 어디 해 보자!"

이 시점에 이르러선 이미 테이블에 몰려든 다른 모든 손님이 어떻게든 에반을 거꾸러트리려 의기투합하고 있었는데, 딜러 또한 이쯤에서 슬슬 한번 쓴맛을 보여 주는 것도 좋겠다는 생각을 하고 카드를 돌렸다.

"아자!"
"……어라?"

그런데 에반이 이겼다. 방금 일어난 일을 이해할 수 없어 딜러는 눈을 깜박였다. 설마 자신이 실수를 했단 말인가? 스킬 '카드 셔플'을 19레벨까지 수련한 자신이?

"좋았어, 다음은 타이에 방금 딴 칩 열 개 전부!"
"맥스라고, 완전히 미쳤어!"
"타이!? 이 꼬맹이 정말 세상 무서운 줄 모르는구만!"

타이, 즉 무승부. 당연히 어느 한쪽이 이기는 것보다 훨씬 낮은 확률이지만, 그런 만큼 배당이 터무니없이 높았다. 무려 10배인 것이다!

만약 에반이 이번에도 맞으면 카지노 측에서는 그에게 블랙 칩 90개, 즉 금화 9천 개를 내주어야 한다. 카지노의 하루 매상에 비하면 그리 크지 않을지도 모르지만, 그렇다고 그만한 돈을 쉽게 내줄 수는 없는 노릇!

"아냐, 이번에야말로 이 꼬맹이가 틀릴 때가 됐어."
"크크큭, 돈을 잃고 울부짖는 순간이 기대되는구만."
"동행한 아가씨랑 손 한 번만 잡게 해 주면 내가 돈을 좀 빌려줄 수도 있는데, 공자."

여기저기서 수준 낮은 담화가 오고 가는 가운데 에반과 일행은 개의치 않고 카드를 집는 딜러의 손을 주시했다.

딜러는 부담감을 느끼면서도 이번에는 결코 실수하지 않으리라 다짐하며 스킬을 최대한 활성화하여 카드를 돌렸지만…… 결과는 당연하다는 듯 타이였다.

"뭐……."
"내가 또 이겼네."

에반이 겉으로 드러난 입가만으로 순진한 웃음을 지어 보였다. 모두 그 미소에 홀린 듯한 기분이었다.

"이 테이블에서 내가 더 하면 딜러 누나 곤란하지?"
"네!? 아, 저, 그게……."
"그럼 난 다른 데로 가 볼게. 사실 여기는 최대 베팅 액수가 너무 적어서 재미없어."
"하, 하하하……."

말을 잃은 딜러에게 윙크를 해 주면서도 용서 없이 칩을 챙긴 에반은 그 후로도 몇 개인가의 테이블을 더 거치며 증폭된 자신의 운을 시험했다.
이미 원금은 다섯 배까지 불어나 있어 이 시점에서 그는 카지노의 요주의 인물이 되어 있었으나, 그렇다고 그를 막을 명분은 누구에게도 없었다.

"손님, 특실로 모시겠습니다."

"오, 그런 것도 있었어?"

다만 그를 보다 악랄한 전장으로 밀어 넣는 방법이라면 있었다. 다른 손님들과는 노는 단위가 다른 손님들을 위해 마련된 특실.

숙련된 딜러에 의해 주관되는 게임, 엄선된 참가자들. 무엇보다도 특별한 '상품'. 과거 젊은 엘프 여성이 상품으로 나온 적도 있다는 소문마저 도는 불법의 느낌이 진한 히든 스테이지.

"그럼 당연히 가야지! 이 금액으로 놀 수 있을까?"

"충분합니다. 칩을 걸어 상품을 획득하는 게임도 준비되어 있으니 부디 사양하지 마시고."

일단 그곳에 한번 밀어 넣으면, 반드시 손님을 완벽하게 벗겨 먹을 수 있다는 자신이 있었다.

그때가 왔을 때 이 소년은 어떤 표정을 지을 것인가. 바니걸 복장의 딜러는 그런 앙큼한 생각을 하며 에반의 팔짱을 끼고 그를 이끌었다.

이렇게 당당한 태도를 지닌 남자가 무너졌을 때 상냥하게 보듬어 주면 누구든 금방 넘어오는 법…….

"저 천한 것이 감히……."

"아가씨, 폭력은 안 됩니다."

"마법도 안 된다, 벨루아."

"……이런, 실수했습니다."

에반은 딜러의 팔짱을 풀고 앞장서라는 손짓을 한 후, 일행을 돌아보며 따라오라는 뜻에서 윙크를 해 보였다.

히든 스테이지 입장을 기다리고 있던 것은 카지노 측이 아닌 에반이라는 사실을 아직 누구도 알지 못했다.

"환영합니다! 우리 래빗하우스에서는 고귀한 품격과 남다른 감각을 지닌 손님들을 위한 특별 게임장을 마련하고 있습니다. 최소 베팅 단위는 블랙 칩이니 유의해 주세요."

'히든 스테이지'는 그렇게 크지 않았다. 테이블은 단 한 개, 공교롭게도 게임은 처음 들어와 경험했던 바카라. 에반은 테이블에 둘러앉은 사람들을 보며 싱긋 웃었다. 대륙에 익히 알려진 대부호, 대상, 대귀족…… 하여간 끗발 좀 날린다 하는 사람들이었다.

'오늘이 무슨 특별한 날인가, 게임 시나리오에도 상당히 영향을 끼치는 사람들이 몰려 있네. 뭐, 지금은 제법 한가한 분들이긴 한데.'

하지만 생각해 보면 그 이유는 간단했다. 왜냐면 이들 모두 펠라티에서 열리는 던전 축제에 참가할 겸 길을 나섰다가 그 근처에 있는 로이젠에 들른 것이기 때문이다.

그래도 이런 이들이 많이 모여 있을수록 에반에게는 좋았다. 벗겨 먹을 것이 많아지니까. 그는 자신의 황금 코인 귀걸이를 매만지며 테이블로 다가갔다. 카드 실력도, 미모도 우월한 딜러가 에반에게 애교를 담아 웃어 보였다.

"기다리고 있었답니다, 공자님."
"기다려 줘서 고마워요, 누나."
"아……."

에반도 같이 애교를 담은 미소로 대꾸했다. 그 아찔한 매력에 본전도 못 건지고 녹아웃당한 딜러가 휘청거리는 것을 근처에 있던 사람이 잡아 주었다.

"쯧쯧, 셰어든의 보석을 상대로 무리한 승부를 걸었어."
"허, 그나저나 도박도 잘한단 말이지."

이곳에 모여드는 사람쯤 되면 자연히 에반의 정체를 알고 있다. 다만 그 부분에 대해 필요 이상으로 캐묻지는 않았다. 에반도 마찬가지로 행세했다. 에반은 오늘 호우미의 국왕과 마나로드의 재상을 결코 여기서 보지 못한 것이다.

"게임 시작하겠습니다."

플레이어와 뱅커가 자리했다. 에반은 가벼운 마음으로 뱅커에게 블랙 칩 열 개를 걸었으나 그대로 패배했다. 주위 사람들이 히죽 웃는 것이 보였다.

'흠…… 이번엔 지려는 생각은 안 했는데.'

아리샤와 벨루아가 혹시나 하는 마음에 걱정스러운 눈빛으로 에반을 바라보고 있었다. 에반은 걱정 말라는 뜻으로 웃어 보이며 이번엔 뱅커에게 블랙 칩 스무 개를 걸었다. 이번엔 에반이 승리했다.

그렇게 몇 번의 승부를 반복한 결과, 아까 일반 게임장에서 베팅했던 때처럼 무조건적인 승리는 불가능하지만 그래도 여전히 다른 사람들에 비해 명백히 승률이 높다는 사실을 알 수 있었다.

"오오오오! 역시 이래야지!"

아까 그랬던 것처럼 타이에 걸어 열 배 수익을 올리는 데 성공한 에반이 자신의 귀걸이를 만지며 만족스럽게 웃었다. 사람들은 그 모습을 보며 눈을 빛냈다.

"하하, 운이 좋았구나."

"참가자가 늘어나니 재밌어지는데그래. 특히 화사한 꽃이 늘어나니 눈이 아주 즐거워."

역시 노땅들이 많아 그런가 성희롱적인 발언을 서슴없이 해 대고 있었다. 그러나 아리샤와 벨루아, 엘로아는 그 정도 말에 동요할 만큼 미숙하지 않았다. 오히려 에반이 욱한 표정을 지었다.

"할아버지들 보라고 데려온 거 아닌데. 게임 안 할 거야?"

"이런, 이런, 이 늙은이가 실언을 했구만."

"제 여자라 이거지. 능력이 출중하다고는 들었는데 과아연."

일부러 도발적인 표현을 즐겨 하며, 에반이 거기에 일일이 욱하는 모습에 더더욱 즐거워하는 사람들. 에반과 직접 만나 본 이는 적지만, 그들 모두 에반에 대해서 익히 들어 알고는 있었다.

셰어든의 보석이라 불릴 만큼 찬란한 미모를 타고난 소년.

상재를 타고났으며 창의력도 뛰어나 후작가의 자산을 크게 불리고, 자체적인 상단까지 꾸리고 있는 천재.

그뿐만 아니라 과거 세상을 구한 영웅들과의 친분이 있으며, 그들의 제자로 인정받을 만큼 뛰어난 무력.

그럼에도 불구하고 던전 도시의 영주 자리를 욕심내지 않고, 던전 도시를 지키기 위해 던전 기사단장의 소명을 천명하는 숭고한 마음을 지닌 기사.

그중 어느 한 가지만 타고났어도 세상 사람 누구나가 부러워할 것인데, 그 모두를 혼자 지니고 있으니 이미 인간이 신적 존재로 느껴질 정도가 아닌가.

실제로 던전 도시에 살고 있는 주민 중에는 에반을 신이 내린 사도라고 진심으로 믿고 있는 사람도 제법 있었다. 그가 던전 도시에서 세운 위업을 생각한다면 오히려 그렇게 생각하는 게 당연할 정도였다.

"이어서 돌려. 바로 다음 판 가자."

"좋지. 이봐, 딜러."

"여기 한 잔 줘 봐. 지금부터는 액수를 좀 늘려 보자고!"

물론 그를 만나지 못한 대부분의 상류층 인사는 그것을 거짓 혹은 과장된 업적이라고 여겼다. 먼저 나서서 그를 음해할 생각은 없어도 속으로는 에반을 깔보는 마음이 없었다면 거짓이었다.

그런데 이렇게 만나 보니 어떤가. 과연 남자마저 반하게 할 만큼 찬란한 미모는 거짓이 아니었지만 지금 이런 모습은? 여자를 밝히고, 도박을 밝히고, 권력자들도 몰라보고 무례하게 구는 등 듣던 것과는 전혀 딴판이지 않은가.

그래서 에반이 마음에 들지 않는가? 그럴 리가. 그들은 에반이 듣던 것보다 훨씬 형편없는 소년이라는 사실에 지극히 만족했다. 오히려 그로써 그에게 비뚤어진 호감을 품을 정도였다.

"종목을 바꿔 보세. 포커로 하지."

"서로 승부하시겠습니까?"

"패 돌려."

그리고 여기 모인 도박꾼들의 비뚤어진 애정이라 함은, 바로 상대를 깔끔하게 털어 울려 주고 싶다는 것과 같은 말이었다.

다만 그것이 증오와 다른 점이라면, 상대의 본성을 깨달았다 여겨 얕보고 있는 만큼 마음은 보다 느슨해졌다는 점. 에반은 다소 운이 좋은 소년 도박사를 연기하며 그렇게 금세 그들 틈으로 파고들었다.

"와, 또 포카드네."

"뭐, 뭣……?"

텍사스 홀덤, 전 세계적으로 가장 흔하게 플레이되는 포커. 플레이어들이 두 장의 개인별 카드를 받고, 모든 플레이어들이 공유하는 다섯 장의 커뮤니티 카드와의 조합으로 가장 높은 조합을 가진 플레이어가 승리하는 게임이다.

“와, 엄청 많이 땄네!”

그리고 도합 14전 중 8번이나 단독으로 승리한 에반은, 나머지 여섯 판에서 잃은 액수를 압도적으로 상회하는 양의 칩을 벌어들였다.

칩을 확보하고 만족스럽게 웃으며 제 귀에 걸린 귀걸이를 만지작거리는 모습에 대부분의 늙은이들은 굉장히 욱했다.

“다음 판으로 가지. 판돈을 더 올리세.”

그렇게 해서 벌어진 15번째 판은 중소 규모의 도시 하나가 오가는 판이 되었다. 상회의 실질적 주인인 에반이라 해도 무시할 수 없는 액수가 걸린 판. 뭣보다 이 승부에 따라가려면 여태까지 번 칩을 거의 전부 걸어야 했다.

“영감쟁이들 수작 부리는 거 아냐?”

“다 똑같은 조건이야. 자네도 알고 있잖아?”

“설마 그 명성 높은 셰어든의 보석을 우리가 속이려 들 리 없잖은가!”

“그럼, 누구 손이 날아가려고!”

물론, 그들은 딜러와 이미 눈으로 약속을 마쳤다. 안 그래도 오늘 몇 번인가의 실수로 에반이 너무 많은 승리를 거머쥔 것이다. 이번 판에서야말로 완벽하게 에반을 말아먹을 작정을 하고 있었다.

"에, 에반 공자…… 지금까지 충분히 많이 딴 것 같은데 그냥 돌아가면 안 되는 건가?"

"엘로아, 침착하세요. 도련님께서 이길 겁니다."

"져도 상관없어. 에반한테 이 정도 돈은 아무것도 아닌데."

얼음마녀로 명성을 떨치는 엘로아가 몸을 부들부들 떨며 에반을 말리려 들었지만 에반은 조금도 듣지 않았다. 아리샤와 벨루아가 냉정한 표정으로 지켜보는 가운데, 에반은 늙은 이들의 도발에 응했다.

그리고 거짓말처럼 패배했다. 레이즈에 레이즈를 거듭한 끝에 정말이지 거의 모든 칩을 잃어버리고 말았다.

"우와아아아아아아아아아아아!"

에반이 그 자리에서 발광하는 모습에 사람들은 지극히 흡족한 표정으로 웃었다. 이것이다. 그들이 보고 싶었던 것은 바로 에반의 이런 모습이었다!

"진정해, 소년. 게임은 이제부터 시작이지 않은가!"
"하, 하지만 칩이 이젠 없는데……."
"아직 걸 게 많이 남지 않았나? 예를 들면 그 귀걸이라든가."
"읏……!"

에반의 운이 심상치 않다는 사실은 이미 많은 사람들이 눈치채고 있었다.

다만 그렇다고 그를 홀딱 벗겨 놓고 게임을 진행할 수도 없는 노릇이고, 애초에 카지노에는 특별한 장비를 착용해선 안 된다는 룰 자체가 없었다. 행운을 올려 주는 아티팩트의 존재가 확인된 바 없기 때문이다. 설령 확인되었다 하더라도 그걸 문서로 명시할 방법이 없으니 제재 수단은 없다고 봐야 한다.

"그걸 걸면 되잖나. 가치가 상당하다는 건 우리도 알고 있어. 다들 인정해 줄 거야."
"시선을 처리하는 방법은 조금 더 배워야겠어, 에반 공자. 아니면 일부러 과시했던 건가? 아니, 정말 대단한 물건으로 보이긴 하는데 말이야."
"그래그래. 혹시 그걸 내어놓기 아까운 건가? 그렇다면…… 그래, 자네의 약혼녀가 있잖아. 그녀를 식사 자리에 초대하고 싶네만 하룻밤만 그녀와 함께할 권리를 인도해 주는 건 어떨까! 좋은 아이디어가 아닌…… 헉!"

쾅! 에반이 테이블을 내리쳤다. 다행히 폭력 행위로는 인정되지 않는 모양이었다.

"나보고…… 내 소중한 약혼녀를 걸라고……? 그녀를 감히 지금 물건 취급 하라고! 셰어든의 이름이 참 많이 우스운가 보지! 어째서 셰어든이 수 대에 걸쳐 던전 도시를 다스리고 있는지, 원한다면 직접 알려 줄 수도 있는데. 어?"

"에반……."

이럴 타이밍이 아니라는 것을 알면서도 아리샤는 입가에 흐뭇한 웃음이 떠오르는 것을 참을 수가 없었다. 자꾸만 광대가 솟으려는 것을 억누르느라 손이 아플 정도다.

벨루아는 그런 아리샤를 실로 한심하다는 표정으로 바라보았다. 내심 조금 부러웠지만 결코 입 밖에는 내지 않을 것이다.

"이런, 저 놈팡이가 술에 취하다 보니 말도 안 되는 헛소리를 지껄이는군. 셰어든과 펠라티를 모욕할 생각은 전혀 없네, 정말이지."

"그럼그럼. 아리따운 아가씨와 그저 즐거운 식사 자리를 갖고 싶었을 뿐이야. 그 이상을 어찌 바라겠나, 응? 우리도 염치가 있지."

당연하지만, 늙은이들도 펠라티의 영애에게 정말로 손을

대고 싶은 마음은…… 없는 것은 아니지만 적어도 지금은 에반을 도발하려는 의도로 일부러 이렇게 말하는 것이었다.

"단지 그만큼 이 판에 걸린 판돈이 우습지 않다는 얘기지. 안 그래, 다들?"
"물론이야. 그러니 자네의 그 귀걸이 정도면 좋은 판돈이 될 것 같은데…… 혹 인간의 행운을 관장하는 힘이라도 깃들어 있는 것 아닌가?"

에반은 찔린 듯한 표정을 지었다. 그건 정말이었으니 연기고 뭐고 할 것도 없었다.

"이건 정말 안 돼. 여기서 그만하겠어. 할배들끼리 놀아."
"여기서 물러나려고? 이런, 셰어든에선 그런 겁쟁이를 키우는 건가."
"물러나야 할 시기를 잘못 판단했구만. 쯧쯧, 실망이야."
"큭……!"

지금 이 자리에 모인 에반을 제외한 모든 도박꾼이 한패를 먹고 있었다. 평소엔 서로 으르렁거리던 작자들인데 어떻게 이렇게 하나로 뭉칠 수 있었는가, 역시 에반의 인지도가 워낙 높았던 것이 원인이리라.

"하지만 그게 중요하다는 건 우리도 알아. 그럼 이렇게 하지…… 우리도 각각 중요한 물건을 하나씩 거는 걸세."

"그래, 우리는 언제나 공평한 시합을 하지. 뭣보다 그런 행운의 물건을 정당하지 않은 수단으로 손에 넣으면 뒤가 구리거든."

"음. 그럼그럼. 만약 자네가 여기서 이기면 이까짓 황금 따위는 비교할 수도 없는 대가를 얻는 거야."

그 말과 함께 도박꾼들이 척척 자신의 보물들을 내어놓기 시작했다. 약속이나 한 듯이 아무런 거리낌 없이 국가적으로 널리 알려진 재보를 판돈으로 올리는 거부들의 모습에 딜러도 벌벌 떨 정도였다.

'실수하면 알지?'

'방금처럼만 하면 돼. 저것만 가져오면 되는 거야.'

'광분한 녀석이 정말 약혼녀를 걸지도 모르겠군. 흥분되는데.'

도박꾼들은 그저 눈빛만으로 모든 대화를 해결하고 있었다. 완벽하게 짜고 치는 판이었다.

물론 황금 귀걸이로는 끝나지 않는다. 귀걸이를 빼앗고 나면 다음은 목걸이, 팔찌…… 정말로 에반을 탈탈 털어, 그의 밑바닥까지 훑어가고자 모두가 합심하고 있었다.

딜러는 소용돌이치는 악의와 욕망에 꿀꺽 침을 삼키면서도 감히 권력자들의 뜻을 거절할 수 없어 아주 작게 고개만 끄덕였다.

"자, 그럼 판돈을 걸지. 뭘 하는가? 귀걸이를 벗어야지."

그리고 이것도 노림수 중 하나였다. 에반이 게임을 하는 내내 자신의 귀걸이를 의식하고 있었던 것은 모두 알고 있었다.

이 방에 들어오기 전 일반 게임장에서부터 무의식적으로 그런 행동을 반복했다는 보고를 받은 이가 있었기에 블러핑일 확률도 희박하다는 결론이 났다.

물론 딜러를 매수한 이상 그들이 이기는 것은 정해져 있는 것이나 마찬가지지만 혹시나 하는 상황을 방지하고자 철저히 수를 쓰고 있다고 볼 수 있었다.

"큭……."

에반 또한 그들이 무엇을 노리는지 알고 있었다. 하지만 여기서 벗지 않겠다고 버티면 정말로 귀걸이에 그런 능력이 있다고 단언하는 셈이 된다. 무엇보다도 본전을 생각하면 결코 여기서 물러날 수는 없다.

"걸면 될 것 아냐."

결국 에반은 자신의 귀걸이를 매만지며 뭔가 알아들을 수 없는 말을 중얼거린 후, 귀걸이를 벗어 내려놓았다.

에반의 전신이 순간 황금빛으로 번쩍였다는 사실을 그와 가까이에 있던 아리샤와 벨루아만이 알아차렸다.

"그럼, 시작해."

뭐, 당연하지만…….

에반이 이겼다.

"더 할래? 그다음은 뭐 걸 거야? 일단 전부 올인할래? 이기면 이 귀걸이랑 팔찌까지 줄게."

에반이 이겼다.

"아, 칩 걸고 상품 딸 수 있는 거 있다 그랬죠? 실은 내가 갖고 싶은 게 있었는데……."

딜러와 1대1로 승부할 수 있는 카지노 테이블 포커에서는, 블랙 칩을 걸고 자신의 패를 만들어 그 조합의 가치에 따라 희귀한 보상을 가져갈 수가 있었다.

물론 에반이 이겼다.

“엘로아, 이 마법책 맞죠?”
“마, 맙소사…… 정말 가보인 ‘빙하의 서’가 내 손에 돌아오다니……!”

에반은 특별 보상이 책정되는 트리플부터 설마 했던 로열 스트레이트 플러시까지 논스톱으로 내놓으며 래빗하우스가 보관하고 있던 특별 보상을 깔끔하게 털어 버렸다. 빙하의 서는 무려 포카드를 만들어야만 딸 수 있는 보상이었지만 미련 없이 엘로아에게 주었다.

“그리고 아리샤, 이건 네 선물.”
“이, 이걸?”

래빗하우스의 카지노 테이블 포커로 가장 배당이 높은 로열 스트레이트 플러시를 달성하면 [북풍의 귀걸이]라는 전설 등급의 아티팩트를 받아 낼 수 있다.
이름으로 보아 알 수 있듯 바람 속성을 다루는 이라면 누구나가 바라마지 않는 최고의 보물!
실은 요마대전 2 시점에서부터 로이젠에 존재하며 주인공인 레오로 이것을 따 바람 속성을 다루는 일로인에게 선물하면 굉장한 호감도를 얻어 그녀를 수월히 공략할 수 있게 되지만, 물론 현실에서는 그대로 남아 있었다.

“응, 아까 판돈으로 걸자는 얘기가 나와서 불쾌했을 거 아냐. 이거 받고 기분 풀어 줘.”

“에반이 나를 판돈으로 걸 리가 없잖아? 하지만 고맙게 받을게. 후훗…….”

아리샤는 에반으로부터 받아 든 귀걸이를 소중히 품에 안으며 작게 웃었다. 에반에게 뭔가 보답을 해 주고 싶어 펠라티로 초대한 것인데 그새 또 이렇게 소중한 것을 받아 버리다니.

마냥 행복한 표정을 짓는 아리샤를 벨루아가 그저 무표정한 얼굴로 바라보는데, 그것을 알아차린 에반이 작게 웃으며 벨루아의 머리를 쓰다듬어 주었다.

“벨루아, 네 선물은 다른 데서 찾아줄게.”

“절 생각해 주시는 마음만으로도 충분합니다, 도련님.”

한편 그 광경을 바라보는 도박꾼들은 대개 비슷한 표정을 짓고 있었다. 하늘이 무너진 표정 말이다.

“말도, 안 되는…….”

“디, 딜러가 이중으로 매수되어 있었던 건가?”

“아니, 에반 공자. 한 판 더! 한 판만 더 하세! 일단 그 귀걸이는 빼놓고!”

에반이 궁지에 몰린 순간부터 지금까지 불과 30분도 지나지 않았다.

그러나 아까 끔찍한 절규를 하던 소년은 순식간에 모든 것을 되찾는 것은 물론 도박장의 모든 재보를 확보해 자신이 거느리고 있는 여자들과 좋은 분위기를 만들고 있고, 자신들은 소년을 낚기 위해 제시했던 보물을 눈 깜짝할 사이에 털리고 덤으로 칩까지 전부 털려 버리고 말았다.

이게 대체 어찌 된 일인가, 당최 이해할 수가 없었다. 어렴풋이 에반이 처음 도박장에 들어오는 순간부터 블러핑을 하고 있었다는 사실을 알아챈 거상 한 명만이 인상을 참혹하게 구기며 그를 노려보고 있었다.

"아까까지 추한 모습을 보여 드려 죄송합니다."

바로 그 에반은 자신에게 달라붙거나 노려보는 사람들에게 정중히 고개를 숙이며 사죄했다.

"게임은 마음가짐부터 시작하는 것이라 배워, 본의 아니게 못난 짓을 했습니다. 제 바보 놀음에 모른 척 어울려 주신 것 깊이 감사드립니다."

"……."

여기서 화를 내면 에반의 바보 같은 연기에 속았다고 인정하는 꼴이 되므로 그 누구도 쉬이 나설 수 없었다. 에반은 히죽 웃으며 시선을 돌렸다.

"그리고 딜러 누나."

"네, 네엡!?"

히든 스테이지의 모든 것을 제대로 말아먹은 결과 사직은 물론이고 내일 자신이 어떻게 되어 있을지조차 장담할 수 없게 되어 울상을 짓고 있던 딜러가 에반의 부름에 처량한 표정으로 고개를 들었다.

"여기 주인이랑 만나게 해 줄 수 있죠? 누나 포함 여러 사람 목숨 살린다 생각하고."

에반은 블랙 칩을 허공에 튕겼다 받으며 미소를 지었다. 처음 지었던 것과 같이 아찔한 그 미소에, 딜러는 이제 생각을 그만두기로 했다.

단 하룻밤 만에 로이젠 최대 규모의 카지노가 에반 한 명에게 쪽쪽 빨려 먹혔으나, 신기하게도 그 소문은 도시 내로 전혀 퍼지지 않았다. 마치 누가 그 정보를 일부러 틀어막기라도 한 것처럼.

❋❋❋

다음 날 오전, 에반은 일행과 함께 숙소에서 호화로운 식사를 즐겼다.

래빗하우스 호텔 내에서는 칩을 지불해 식사를 하거나 룸서비스를 부를 수 있었는데, 에반은 미리 지불되어 있던 VIP용 식사 준비에 무려 블랙 칩 하나(금화 100개)를 추가로 얹는 만행을 저질렀다.

래빗하우스에 있는 거의 모든 요리사가 총출동해 블랙 칩에 어울리는 만찬을 차려 낸 결과, 거의 5미터에 달하는 대형 테이블이 갖가지 요리로 꽉 차게 되었다.

"보지 못했던 요리가 많네."

아침 식사라기엔 지나치게 거창한 만찬을 보며 아리샤가 아연한 표정을 지었다.

펠라티의 던전 도시를 다스리는 귀족으로 태어나 다양한 진미를 접해 온 그녀조차 알지 못하던 요리의 향연. 에반이 흐뭇하게 웃으며 말했다.

"지역적으로 실크라인과 마나로드와 가까운 건 물론이고 자유도시라는 특성상 많은 나라 사람들이 몰려드는 곳이다 보니 요리도 온 세상의 것이 섞여 독자적으로 발전한 거야. 그중에서도 래빗하우스의 VIP 식당은 특히 음식과 음료의 질이 높다는 소문이 나 있지."

물론 모두 게임 속에서 파악한 지식이다.

요마대전 팬사이트에서 진행된 '현실에 존재한다면 꼭 가 보고 싶은 요마대전 속 음식점' 랭킹 1위는 물론 실크라인 왕도에 위치한 펍 에이미의 발길질이지만, 그건 그 펍이 게임 시나리오의 주 무대에 위치하고 있으면서 자주 등장하는 만큼 조명을 받을 일이 많아서 그런 것.

순수하게 요리의 종류와 맛으로만 따지면 에이미의 발길질을 뛰어넘을 만한 후보가 몇 개인가 있었는데, 여기의 VIP 식당도 그중 하나였다.

특히 블랙 칩을 내밀었을 때 제공되는 식사 메뉴 중 일부는 최초 섭취에 한해 스테이터스를 올려 주는 효과까지 붙어 있으니 여기에 온 이상 먹지 않고 넘어간다는 선택지는 없었다.

"맛있다!"

"이것두 맛있다!"

하룻밤 푹 자고 일어난 린과 란은 마차를 타고 이동하며 쌓인 피로는 싹 날아간 것인지 활기차게 떠들어 대며 음식을 폭풍 흡입했다. 폴과 디토도 쌍둥이를 챙기면서도 성장기 아이답게 야무지게 챙겨 먹고 있었다.

"우엑…… 도련님, 숙취 해소에 도움 되는 건 없수……?"
"뭘 얼마나 퍼마신 거야, 주인장."
"밤새 달렸수. 술집에도 제법 흥미로운 안줏거리를 많이 팔길래 이것저것 시키다 보니 술도 안 마실 수가 없어서…… 우에엑."
"정말 흥미로운 곳이었습니다, 공자님."

기껏 만찬이 눈앞에 있는데 찬물만 들이켜는 주인장의 옆에서 오르타가 대신 설명했다. 그도 주인장과 같이 마셨을 텐데 멀쩡한 것을 보면 술이 상당히 강한 모양이었다.

"다만 못 볼 꼴도 많이 봤습니다. 크게 땄다며 환호하는 무리나 가문의 땅문서를 날렸다고 울부짖는 무리…… 그리고 공자님."

오르타가 그 부분에서 갑자기 목소리를 낮추어 에반에게 속삭이듯이 물었다.

"원래 여긴 모든 여자가 그 가죽옷을 입고 다니는 겁니까."
"모든 여자는 아니고 종업원의 경우 대부분. 그쪽이 더 손님의 지갑을 열기 좋은 모양인지라."

물론 제작진의 취향이 구현된 복장이지만 이 세상에서는

이미 그것이 로이젠을 대표하는 의상이 되어 있었다.

범죄가 아닐까 의심이 들 만큼 노출이 심한 복장이지만 특유의 개성이 있었고, 로이젠에서만은 그것이 부끄럽지 않다는 관념이 이 도시를 지배하고 있었다.

"내일이면 여길 떠날 테니까 그 전에 충분히 즐겨 둬요. 자금도 보태 줄 수 있는데."

"아뇨, 됐습니다. 공자님 덕에 색다른 경험을 할 수 있었던 것에는 감사하고 있습니다만 역시 제게는 어울리지 않는 곳인 듯합니다."

강직이라는 단어를 사람으로 나타내면 오르타가 되지 않을까, 에반은 그의 굳은 말투에 쓴웃음을 짓고 말았다. 반면 그 옆에 앉은 주인장의 추한 모습이란…….

"도련님, 숙취 좀 어떻게 해 줄 수 없수……? 명색이 요리사인데 맛보지 못한 요리를 눈앞에 두고 가만히 있을 수는……."

"안 그래도 주인장한테 여기 요리를 먹여 주려고 데려온 건데, 정말…… 다들 이런 어른이 되면 안 된다."

"네에!"

에반은 한숨을 쉬면서도 사제인 린에게 부탁해 주인장의

상태 이상을 걷어 내도록 했다. 순식간에 말짱해진 주인장은 그 자리에서 벌떡 일어서며 테이블에 놓여 있던 음식들을 흡입하기 시작했다.

"우오오오오, 새로운 요리의 발상이 마구 떠오르는 것 같수! 특히 이 소스가 아주 그냥 끝내주는구만!"

"앞으론 이런 서비스 안 해 줄 테니까 숙취가 싫으면 알아서 해, 주인장."

"아, 알겠수."

주인장을 향해 살기 어린 경고를 날린 후, 에반은 어제 그에게 말해 두려 했던 사항을 전달했다. 그를 이곳에 데려온 가장 중요한 이유였다.

"주인장, 오늘 주인장은 내가 정한 곳마다 가서 지정된 음식을 먹도록 해. 방금 느꼈겠지만 주인장의 요리 스킬 성장을 위해 꼭 필요한 일이니까 시키는 대로 하도록."

"날 굳이 여기까지 데려온 이유가 그거였수? 하여간 별 볼 일 없는 놈한테 참 섬세하게 신경을 써 주시는구려."

주인장은 자신이 알지 못하는 해양 생물의 내장을 갈아 만든 소스가 곁들여진 파스타를 감아올리며 어깨를 으쓱였다. 하지만 에반은 단순히 '다양한 나라의 요리 경험'을 위해 주인장을 이곳까지 데려온 것이 아니었다.

"받아."

"음? 루나틱, 엘 돈 쿠사에르, 진진향, 무트쉬펠, 소르티츠…… 이게 다 음식점 이름이우? 친절하게 메뉴까지……."

"여기처럼 카지노에 속한 호텔 레스토랑도 있고 주점도 있고 다양해. 아무튼 오늘 안에 무조건 여기에 모두 가서, 내가 지정한 메뉴를 모두 먹고 와."

"도련님이 사 주는 거면 감사히 얻어먹겠수. 그런데 뭔가 이유가 있는 거유?"

"당연하지. 그리고 다시 말하지만 술은 금지야."

모든 나라의 요리 문화가 섞여 독특하게 발전하는 도시, 로이젠. 이곳에서 얻을 수 있는 요리사의 고유 스킬은 바로 '푸드 퓨전'이다.

완전히 다른 두 가지 이상의 요리, 혹은 서로 상성이 맞지 않는 원료를 합성하여 새로운 요리를 만들어 내는 스킬인데, 바로 이 스킬을 통해 대다수 마법 요리를 만들어 낼 수 있었다.

마법 요리로 파티에 버프를 걸고, 스테이터스를 영구적으로 향상시키고 싶은 이라면 누구나가 이 도시에 와서 히든 퀘스트가 요구하는 음식을 섭취할 필요가 있었다. 요리사를 서브 클래스로 두고 있는 게이머들에겐 지극히 메이저 한 퀘스트라고 볼 수 있겠다.

"물론 도박의 도시답게 그 후로 이 도시에 숨어 있는 특별한 조리 도구를 얻어 낼 필요가 있지만 그건 내가 대신 해 줄 테니까 주인장은 먹고 돌아다니는 데만 신경 쓰면 돼."

"지정된 요리를 먹고 다니는 것만으로 요리와 관련된 능력이 생긴다니…… 전혀 믿을 수는 없지만 일단 알겠수. 도련님이 시키는 대로 해서 손해 본 적은 없으니까."

에반이 내준 식당 목록이 심상치 않았기에 당장 움직여야 했다. 주인장은 우선적으로 에반이 가리킨 음식들을 전부 제 위장에 쓸어 담은 후 먼저 식당을 나갔다. 그 옆에서 오르타가 가만히 에반을 바라보며 물었다.

"저는 무엇을 하면 되겠습니까?"

"오르타는 여기로 가요."

"여긴…… 세공소입니까?"

도박의 도시 로이젠에는 무수한 나라에서 무수한 신분을 지닌 사람들이 무수한 물건을 들고 들어와, 그대로 빈털터리가 되어 나간다.

자연히 도시에는 온갖 나라에서 흘러든 보물과 무구가 넘쳐나게 되는데, 이것을 도시 안에서 갖고 다니는 건 괜찮아도 그대로 반출하게 될 경우에는 문제가 생긴다. 로이젠이 평화로울 수 있는 것은 어디까지나 대마도사의 결계 덕분이니까.

"그래서 그 많은 나라, 혹은 독특한 문화의 흔적을 지우고 자연스럽게 만들어 내는 기술이 이 도시에서 발달하게 됐어요."

"과연, 그래서 세공소입니까……. 다만 모든 물건은 그 나라 고유의 문화를 드러내는 제작 방식이 있기에 더욱 빛이 나는 법이라고 생각합니다. 그것을 부자연스럽게 감춘다면 물건의 가치가 떨어지지 않을지."

"그게 떨어지지 않게, 혹은 더 가치가 높아지게 세공하니까 유명해진 거죠."

"……허."

다른 나라의 흔적을 지우기 위한 기술이 극도로 발달한 끝에 이미 새로운 문화로 인정을 받게 된 로이젠 특유의 세공 기술. 그것이 대장장이의 고유 스킬 '각인'으로 향하는 첫걸음이다.

"아무래도 요리사랑 대장장이의 중요도에 차이가 좀 나다 보니 오르타는 그렇게 쉽게 배우지는 못할 거예요."

"각인이라는 건 무엇입니까? 혹시 마법 문자와 같은 것을 말씀하시는 거라면……."

"그건 마법이고요. 각인은 스킬이에요. 보다 적절한 표현을 쓰자면…… 강화."

그렇다. 강화.

모든 게임에 존재하는 그 악명 높은 확률 시스템.

성장하지 않는 아티팩트의 능력을 끌어올리는 유일한 방법이자, 모든 플레이어가 야금술을 익히는 가장 중요한 이유!

게임을 플레이하는 모든 이가 성장형 아티팩트로 온몸을 도배하는 게 아닌 이상, 강화 시스템을 이용해야 하는 것은 필연이라고 할 수 있었다.

"아이템의 개성을 지켜 주면서 그 힘을 끌어올리는 대장장이만의 비기예요. 진정한 대장장이가 되기 위해선 반드시, 정말 반드시 이 기술을 익혀야 하죠."

"공자님께서 그렇게 말씀하시니 최선을 다해 익혀 보겠습니다. 그런데 공자님, 세공소의 기술을 배우고 싶다고 해서 그렇게 순순히 배울 수 있는 겁니까?"

"네, 여기."

에반은 어제 래빗하우스 히든 스테이지에서 얻어 온 보상 중 하나를 내밀었다. 카지노 테이블 포커에서 딜러를 상대로 투페어로 이기면 얻을 수 있는 다양한 보상 중 하나인데, 겉으로 보기엔 평범한 은목걸이에 지나지 않았다.

"이걸 가져가면 기술을 가르쳐 줄 거예요. 사실 목걸이와 관련된 뒷 사정이 무척 길게…… 구체적으로는 연계 퀘스트 일곱 개 분량만큼 있지만 오르타가 신경 쓸 필요는 없어요."

"과연, 알겠습니다."

오르타는 그것을 받아 들어 품에 소중히 간직하고는 곧장 출발했다. 에반은 닭다리 하나를 집어 입에 넣으며 히죽 웃었다.

“둘은 이걸로 됐고, 우리도 이것만 다 먹고 출발하자.”
“이미 소문이 퍼졌을 텐데 다른 카지노에서 꺼리는 것이 아닐까?”
“괜찮아요, 그 부분은 손을 써 놨거든요.”

에반은 어제 래빗하우스의 관리자를 만나 깊은 이야기를 나누었다. 그리고 어제 그가 각국의 요인들을 상대로 쓸어 모은 블랙 칩의 일부를 건네주는 대가로 서로가 만족할 수 있는 협의점에 이르렀다.

“까놓고 말하면 너희만 당하기 억울할 테니 내가 다른 카지노의 재력을 하향 평준화시켜 주겠다는 얘기를 한 거지.”
“……그것참.”
“에반에게 당한 다른 갑부들은 가만히 있을까?”
“응. 뭐, 지가 당했다는 소문을 내고 다닐 만한 사람은 그곳에는 없었어.”

설령 있어도 그리 큰 문제가 되지는 않을 것이다. 로이젠의 카지노는 원천적으로 손님을 미리 차단하지 못한다. 손님이 낭패를 보도록 승부를 조작하는 일은 있을지 모르지만, 그것조차 미리 알고 있다면 이미 이쪽의 승리인 셈이다.

"어쨌든 오늘 안에 원하는 건 전부 털어 갈 수 있을 테니까. 얘들아, 용돈을 줄 테니까 너희도 오늘은 신나게 놀아라."

"와아, 단장님 최고!"

"단장 오빠야가 제일 좋아!"

"다, 단장님, 정말 그래도 괜찮은 겁니까? 만약에라도 무슨 문제가……."

린과 란은 그 말에 멋모르고 기뻐하는 반면 이제 조금씩 머리가 굵어지는 폴은 이 도박장의 위험성을 깨닫고 있는지 그런 말을 했다.

그러나 사실 도박의 도시 로이젠은 미성년자라고 가려 받지 않는다. 오히려 더 환영하는 면조차 있었다. 미성년자는 이성적인 판단력이 더 떨어지고, 그런 만큼 보다 쉽게 털 수 있기 때문이다.

"어차피 돈은 조금만 줄 거니까 안심해. 그냥 다 써 버린다 생각하고 놀고 와. 알겠지?"

도박이 위험한 것은 가벼운 것부터 하나둘 시작하다 보면 어느덧 자신과 가족의 인생까지 판돈으로 내걸게 되기 때문이다. 에반은 애초에 아이들에게 판돈을 제한할 요령이었다.

"다인, 오늘은 나 말고 아이들을 호위해 줘. 혹시나 이상한 것들이 이상한 제안을 하지 못하도록."

"알겠습니다, 도련님. 그럼 벨루아, 도련님의 호위를 부탁한다."

"맡겨 주세요."

다인과 벨루아는 한 차례 눈빛을 교환하며 서로에게 굳게 고개를 끄덕여 주었다. 에반은 다인이 폴을 비롯한 아이들을 인솔해 나가는 것을 보고는 자신도 몸을 일으켰다.

"자, 그럼 우리도 어제 미처 못 털었던 것들을 마저 털러 가 보자."

"오늘도 재밌겠네."

"하지만 도련님, 어제와 같은 연기는 더는 하지 말아 주세요. 거짓이라는 것을 알고 있어도 괴롭습니다."

"……그렇게 보기 흉했어?"

벨루아가 자신의 말뜻을 곡해한 에반에게 삐지는 바람에 그녀를 달래 주고 함께 레스토랑에서 나온 그때.

"기다리고 있었습니다, 공자님."

레스토랑 앞에서 그들을 맞이해 정중히 고개를 숙이는 이가 있었다. 화려한 금발의 세미롱 헤어, 독특한 보랏빛 눈동자의 글래머 미인.

에반에겐 그녀를 본 기억이 있었다. ……몸에 착 달라붙는 가죽옷과 토끼귀 머리띠를 보면 모를 수가 없었다.

"……딜러 누나, 결국 잘렸어?"

"저 좀 살려 주세요, 공자님! 공자님께서 절 보호해 주시지 않으면 정말 죽을지도 몰라요!"

그로부터 3분 후, 불과 어제까지만 해도 히든 스테이지를 담당했던 솜씨 좋은 딜러 누나를 새로운 하녀로 맞이한 에반은 일행과 함께 길을 나섰다.

도박의 도시 로이젠이 열린 이래 최대의 재앙이 시작되었다.

"레이즈!"

에반이 그렇게 외치며 칩을 튕겼다.

이미 블랙 칩 수백 개가 쌓여 있는 판. 에반과 같은 테이블에 앉아 있는 플레이어는 모두 셋.

"……크."

그중 한 명이 더 버티지 못하고 거기서 카드를 덮었다. 나머지 두 명은 서로 치열한 눈빛을 교환했으나 물러서지 않고 콜을 했다. 딜러로부터 마지막 카드를 받아 든 에반의 입가에 선명한 미소가 떠올랐다.

"이걸로 마지막이지? 아, 그럼 이제 올인 할까."
"올인!? 이이익…… 난 죽겠어."

에반은 태연히 자신 쪽에 쌓여 있는 칩을 모조리 테이블 한가운데로 쏟아 버렸다. 도합 천 개가 넘는 칩의 산더미. 이 시점에서 둘 중 한 명이 마저 카드를 덮었고, 나머지 한 명은 손을 벌벌 떨며 자신의 칩을 모두 쏟았다.

"어디 해보자 이거야! 해보자고!"
"와, 진짜 할 거야?"
"그래, 허세에는 이제 안 속아!"

베팅이 끝나고, 남자가 먼저 패를 오픈했다. 3과 4의 풀하우스. 말이 풀하우스지 현실적으로는 무척 내기 힘든 패였다. 실제로 튀어나오면 거의 대부분은 이길 수 있는 패.

"전부 내 거다, 이 망할 꼬맹아!"
"훗."

그러나 에반은 씩 웃으며 자신의 패를 공개했다. A의 포카드. 완벽하게 미쳐 버린 운이었다.

"으아아아아아아아아아!"
"허세랑 진짜는 구분하셔야지. 안 그래?"
"에반 공자의 승리!"

에반은 전 재산을 잃은 남자에게 윙크를 하며 칩을 모두 쓸어왔다. 벨루아가 익숙한 손놀림으로 그것을 바구니에 담았다.

한편 그것을 바라보는 전 딜러, 현 하녀인 디오나는 어처구니가 없다는 표정을 지었다. 불과 조금 전, 완벽히 똑같은 표정으로 원 페어를 들고 이겼던 주제에 대체 무슨 소리를 하는 것인가.

저 남자는 타고난 포커페이스다. 그를 상대로 이기는 방법은 애초에 승부를 하지 않고 도망치는 것뿐이다!

'흑, 그걸 미리 알아봤어야 했는데.'

그저 운이 좋을 뿐인 순진한 소년이라 여겨 작업을 걸었던 것이 잘못이다. 너무나 순수한 그 미소에 당연히 뒷면이 없을 것이라 여겼던 그녀와 카지노의 패배라고 할 수 있겠다.

그 덕에 자신은 직장도 잃고 목숨도 위험해지고…… 결국 자신을 이렇게 만든 에반의 하녀로 기어들어 가는 방식으로 도망칠 수밖에 없게 되었지 않은가!

'으음, 사실 이것도 그리 나쁘지 않긴 한데…….'

천사와 같은 표정을 지으며 도박꾼들을 차례차례 절망의 구렁텅이에 빠트리고 있는 에반을 보며 디오나는 생각을 조금 고쳤다.

래빗하우스의 딜러로 일하던 때만큼 화려한 생활은 불가능하겠지만, 던전 도시에서 하녀로서 에반 디 셰어든을 따르는 것도 제법 흥미로운 일일 터였다.

던전 기사단장이며 동시에 거대한 상회의 주인이기도 하고…… 무엇보다 보고 있는 것만으로 사람을 행복해지게 만드는 미모의 주인이지 않은가!

"디오나, 하녀 된 몸으로 주인을 그렇게 뚫어져라 쳐다보는 것은 허용되지 않습니다. 최소한 들키지 않도록 하세요."

"죄, 죄송합니다."

벨루아의 싸늘한 말에 디오나가 흠칫하며 몸을 바로 세웠다. 그 가벼운 동작에 리드미컬하게 출렁이는 그녀의 풍만한 흉부를 보며 옆에서 아리샤가 큿, 혀를 찼다.

"에반, 역시 이 여자 받아 주지 마."

"왜, 이런 고급 인력이 알아서 굴러들어 왔는데 거절할 수는 없잖아."

물론 디오나라는 이름은 알고 있지 못했다. 물론 로이젠에서 얻어야 하는 아티팩트의 목록이나 게임의 필승법은 모조리 파악하고 있는 그였으나 그것과는 별개로 로이젠에서는 그리 길게 플레이하지 않아, 유명 NPC의 이름을 외울 필요는 없었던 것이다.

어째서? 에반을 동료로 넣고 있을 때 로이젠에 가서 하루 이상 머물게 되면, 거의 90% 확률로 에반의 사망 이벤트가 일어나니까!

그중에서도 가장 끔찍한 건 도박에서 지고 자신을 판돈으로 내건 에반을 갖기 위해 카지노의 예쁜 딜러 누나들이 혼신의 승부를 벌이다 무승부가 난 결과, 공평하게 에반을 나눠 갖기 위해…… 그 이벤트의 뒷부분은 그리 생각하고 싶지 않았다.

'그럼에도 불구하고 디오나의 얼굴은 무척 익숙해. n등분의 에반 이벤트 CG에도 나왔던 것 같고……. 분명히 도시에서도 다섯 손가락 안에 꼽히는 수준의 딜러 중 한 명이겠지.'

로이젠에서도 가장 거대한 카지노의 히든 스테이지에서 딜러로 일하고 있었으니 그 능력은 확실하다. 다른 거 다 치우고 딜러 중에서도 압도적인 미모 수준만 봐도 분명했다.

누누이 말하지만 요마대전 시리즈는 단 한 명 에반을 제외하고는 능력이 뛰어날수록 외모가 뛰어난 것이다!

“도박사로서의 능력은 다른 분야에도 충분히 살릴 수 있어. 어디에 살릴지는 일단 두고 보더라도 말이지.”

“그렇게 말씀해 주시니 고마워요, 공자님.”

“쿳…… 넌 인재 욕심이 너무 많아서 탈이야. 그렇게 데려온 인재들이 대부분 너를 노리고 있잖아. 이 여자도 지금 노골적으로 널 훔쳐보고 있었다고.”

“마치 아리샤 아가씨는 거기에 해당되지 않는 것처럼 말씀하시는군요.”

“…….”

그때 벨루아의 통렬한 지적에 처음으로 에반을 노리고 던전 기사단에 입단한 아리샤는 입을 꾹 다물어 버리고 말았다. 에반은 픽 웃으며 자리에서 일어났다. 여기서 얻어야 할 것도 방금 승부로 모두 얻었다.

“교환소 들렀다가 바로 다음으로 가자. 오늘 안에 전부 끝내 두고 싶거든.”

“공자님의 이름은 이 도시에서 전설로 남게 될 거예요…….”

“앞으로는 다들 어떻게든 내가 이 도시에 들어오지 못하게 막으려 애쓰겠지.”

래빗하우스의 물귀신 작전으로 인해 오늘까지는 버텼지만, 아마 앞으로는 로이젠 전역에 에반 주의보가 퍼질 것이다. 에반은 그렇게 되기 전에 이 도시에서 얻을 수 있는 모든 것을 얻으려는 것이었다.

"이럴 수가, 저런 꼬맹이들에게……!"
"안 돼, 우리 카지노는 망했어!"

그러나 그 전설이 완벽하게 이루어지기 전, 그것을 막는 이가 있었으니.

"와아, 또 다 맞았어!"
"여기는 상품 뭐 줘? 먹는 것도 줘?"
"다음은 왠지 저거 하고 싶어!"

바로 올해로 아홉 살이 된 쌍둥이 자매 린과 란이었다.

"도, 도련님! 이제 오셨습니까!"
"어…… 이게 무슨 일이야?"

에반 일행이 목적지로 정해 둔 마지막 카지노에 들어선 순간 다인이 에반에게 달려왔다. 그 옆에는 정신이 반쯤 출타한 상태의 폴도 함께 있었다. 디토는 초반에 전부 잃기라도 한 것인지 혼자 구석에서 훌쩍이고 있었다.

하지만 지금 중요한 것은 이들이 아니다. 에반은 어째선지 한곳으로 시선이 쏠린 갤러리, 그 안에서 활기차게 웃고 떠드는 두 소녀의 목소리를 들으며 다인에게 물었다.

"혹시 재네 아직 플레이하고 있어?"

"그냥 노는 수준이 아닙니다. 둘이서 모든 게임을 다 쓸어버리고 있습니다……!"

"……농담이지?"

그러나 농담이 아니었다. 에반의 목소리를 들은 쌍둥이 자매가 인파를 헤치고 나와 그의 품에 뛰어들어 안기는데, 그 뒤로 짊어지고 있는 짐이…….

"이건 슬롯머신 히든 보상, 이건 룰렛 히든 보상……."

"단장 오빠, 여기 재밌어!"

"막막 자꾸 뭐가 불어나!"

두 소녀는 잔뜩 상기된 얼굴로 깍깍거리고 있었으나 에반은 그저 멍청하니 두 눈을 깜박일 뿐이었다. 농담인가 했지만 그렇다기엔 자매가 가져온 것들이 너무 대단한 것들뿐이었다.

둘이 혹 행운을 올려 주는 아티팩트를 착용하고 있던가? 아니, 그럴 리가 없는데. 더구나 행운이 남들보다 조금 높은 수준이라고 해서 도박장을 이렇게 초토화시킬 수는…….

'아니, 가만…… 그러고 보면.'

쌍둥이 자매는 원래 요마대전 4의 중간보스로 나왔던 녀석들이다. 서로의 신성력을 링크하는 흉악한 능력을 지니고 있던 것으로 가장 유명했지만, 행운의 여신을 따르는 사제라는 사실도 제법 유명했는데.

'행운의 여신의 사제라는 설정 자체에는 별 의미가 없는 줄 알았는데.'

공신의 사제 아리아가 말하지 않았던가, 쌍둥이 자매는 대부분의 신이 탐낼 만큼 매력적인 존재라고.
그런데 만약 자매가 콕 짚어서 행운의 여신을 따르는 사제가 되었던 데에 이유가 있었던 거라면 어떨까?

"아, 또 7이 세 개 동시에 나왔어!"
"으아아아아아아악! 그만, 그만해 주세요! 제발 부탁드립니다! 이렇게 부탁드립니다!"

만약, 이 녀석들이 타고난 행운이 터무니없이 높아 일찍이 행운의 여신에게 선택된 것이었다면……?

에반은 믿기지 않는다는 표정으로 자매를 바라보았다. 녀석들은 여전히 순진한 표정으로 게임을 하고 있었는데, 특이한 점이라면 절대 같이 하지는 않고 번갈아 가며 게임을 플레이한다는 점이었다.

마치 다른 한 명이 하고 있을 때 자신도 그 게임을 같이 하는 것처럼…… 응? 그 순간 에반의 머릿속으로 무시무시한 상상이 스치고 지나갔다. 설마, 설마 하면서도 점점 그 상상에 설득력이 붙었다.

게임 속에서의 자매를 생각한다면 그럴 가능성도…… 아니, 하지만 그건 게임 속에서보다도 더욱……. 에반은 입가를 부르르 떨면서 쌍둥이 자매 중 지금 게임을 하고 있지 않은 쪽을 불렀다.

"린."

"넵!"

쌍둥이는 겉으로 보기에는 완전히 똑같은 모습이기에 헤어스타일에 차이를 두고 있었는데, 린은 오른쪽 옆머리를 묶어 내린 사이드 테일을, 란은 왼쪽 옆머리를 묶어 내린 사이드 테일을 고수했다.

그래, 생각해 보면 그것도 이상하다. 순수하게 신성력만 수련하는 린보다, 대검을 수련하는 란 쪽의 신체가 더 발달하는 것이 당연한데 어째서 이 아이들은 완전히 똑같은 모습이란 말인가.

“왜 란이 하는 걸 보고만 있는 거야?”
“둘이 한마음으로 하는 거예요!”

에반의 질문에 린이 순진하게 답했다.

“둘이 따로 하는 것보다 둘이 같이 하는 게 훨씬 재밌으니까!”
“둘이 ‘같이 한다’ 이거지. 그러면 경품도 잘 맞고?”
“응!”

린이 활짝 웃으며 긍정했다. 그즈음 또 한 게임을 마치고 경품을 한 바구니 들고 온 란이 생글생글 웃으며 그것을 통째로 에반에게 안겨 주었다.

“단장 오빠야 선물!”
“고마워, 란.”

에반은 그것을 받아 들며 허허 웃음을 터트리고 말았다. 에반이 직접 털 것도 없이 린과 란이 카지노 내의 모든 경품을 쓸어 버려 이젠 뭐 더 추가로 할 것도 없었다.

“보, 보호자 되십니까!? 부디 안쪽으로…… 안쪽으로 모시겠습니다. 이 이상 이 아이들에게 털렸다간 오늘부로 여기 문 닫아야 합니다!"

에반이 두 아이를 보듬고 있는 것을 본 카지노 관계자가 곧장 다가와 그에게 넙죽 엎드렸다. 여태껏 차비만은 남겨 달라며 자신 앞에 넙죽 엎드리던 도박꾼들의 심정을 고스란히 이해하면서!

"아, 안 그래도 얘기를 나누고 싶었는데. 미안해요, 우리 애들이 너무 심하게 놀았나 보네요. 안에서 찬찬히 얘기할까요?"
"예, 옙!"

에반은 벨루아만을 대동하고 주인과 함께 안으로 들어갔다가, 10분 후 싱글싱글 웃는 얼굴로 돌아왔다.
아이들로부터 받은 무수한 양의 칩 중 대다수가 사라지고 없었지만 그 대신 카지노에서 꽁꽁 감춰 두던 물건들을 모조리 받아 오는 데 성공한 것이다.

"대체 그걸 어떻게…… 50년 전에 입수했던 물품을 대체 어떻게 알고……."
"무서운 사람들이야. 과거와 미래를 읽는 게 분명하다고! 어떻게 해서든 저 사람들과 게임을 해선 안 돼……."
"그, 그러고 보니 대륙 10대 거부를 벗겨 먹은 업적을 남긴 디오나가 저 소년을 수행하고 있잖아! 설마 래빗하우스까지!?"

딜의 현장에 있었던 카지노 관계자들은 벌벌 떨며 헛소리들을 중얼거렸다. 에반은 디오나가 생각보다도 대단한 도박사였다는 아무래도 좋은 정보를 확보했다.

하지만 지금 가장 중요한 것은 디오나의 개인 정보도 아니고, 이 카지노에서 확보한 보물들도 아니었다.

"린, 란."

"넵!"

"헤헤헤……."

에반의 부름에 쌍둥이 자매가 곧장 달려와 그의 품에 안겼다. 에반은 녀석들의 눈높이와 맞도록 무릎을 굽혀 서로 눈을 마주했다.

불과 조금 전까지 자신들이 해낸 일이 얼마나 대단한 것인지, 아마 이들은 모르고 있을 것이다. 어쩌면 이 도박장에서 처음으로 그 능력을 각성했을 수도 있고…….

"아주 잘했어. 하지만 앞으로는 둘이서 하나가 될 수 있다는 걸 남한테 함부로 보여 주면 안 돼. 평소에 열심히 연습했다가, 중요한 때에만 하는 거야. 알겠니?"

"네에엡!"

"넵!"

쌍둥이는 밝게 대답하며 까르륵 웃었다. 에반은 녀석들의 이마를 번갈아 쓰다듬어 주며 픽 웃고 말았다.

아니, 정말 어처구니가 없다. 요마대전 4에서도 진과 더불어 이 녀석들이 가장 특수한 능력을 지니고 있다는 것은 파악하고 있었지만 설마하니…….

'스테이터스까지 공유할 수 있을 줄은 몰랐는데…….'

에반은 자신들이 얼마나 터무니없는 능력을 각성한 것인지 모르는 쌍둥이의 머리를 연거푸 쓰다듬어 주며 눈을 반짝였다.

레오와 아리아가 떠난 이후로 조금 막막해졌던 쌍둥이의 육성 방식. 이젠 그것을 조금 알 것도 같았다.

Chapter 44.
에반 디 셰어든, 바다를 털다

린과 란이 행운 스테이터스를 공유하며 도박장을 하나 탈탈 털어 버리는 등 예상치 못했던 일도 있긴 했지만, 에반 일행은 순조로이 로이젠을 초토화시킨 후 길을 나섰다.

보통 로이젠에서 거금을 따는 이들은 도시 외부로 나오면 본인이 위험해지는 것을 알고 있는 만큼 도시 내에서 거금을 주고 공간 이동 스크롤을 구매해 안전한 곳으로 바로 튀어 버리지만 물론 에반은 그럴 필요가 없었다.

"그래서 저게 누구라고?"

"셰어든의 보석. 하, 말은 잘 가져다 붙였군. 보석을 모두 갈취하는 도적이라면 차라리 납득하겠어……."

에반은 자신을 아는 척하지 말라는 뜻에서 가면을 붙이고 다녔지만 그렇다고 사람들이 그를 정말 알아보지 못하는 것은 아니다. 단지 그를 아는 척하며 귀찮게 구는 사람이 줄어들 뿐.

에반은 세상에서 가장 건드려선 안 될 세력에서도 가장 중요한 인물이었고, 제아무리 그가 로이젠의 카지노를 몽땅 털었다지만 감히 그를 털어 보겠다고 나서는 세력은 없었다.

단지 유유히 로이젠을 떠나는 에반 일행을 뒤에서 바라보며 욕할 뿐. 나서는 것들이 조금쯤 있었어도 던전 기사단의 위명을 높일 좋은 기회가 되었을 텐데 아쉬운 일이다.

"후, 진짜 잘 놀았다."

"그걸 놀았다고 표현하시면 공자님 덕에 거리에 나앉게 된 도박사들이 불쌍해지지 않을까요……?"

로이젠을 떠나 항구도시 팔만으로 향하는 마차 안에서 에반이 후련한 투로 중얼거리자, 던전 도시에 있는 샤인을 대신해 새로이 태클 역으로 합류한 전 딜러, 현 하녀 디오나가 조심스레 태클을 걸었다.

아직까지 제 신분을 신경 쓰는지 태클을 걸 때마다 흠칫거린다는 단점은 있었지만 에반의 기행을 함께하다 보면 조만간 익숙해질 터였다. 에반은 그런 그녀의 모습에 히죽 웃으며 말했다.

"그래도 도박은 놀이 정도로 즐기는 게 딱 좋아. 그걸 인생으로 삼다가 디오나처럼 망하는 거야."

"지당하신 말씀입니다……."

"큿."

한편 아리샤는 끝내 같은 마차에 타고 이동하게 된 디오나를 보며 시종 언짢은 표정을 유지하고 있었다.

디오나가 이 마차에 오르기까지 실로 많은 일이 있었지만, 그녀만 혼자 시커먼 남자들 틈에 던져 둘 수는 없다는 주장이 최종 승인되어 결국 그녀 대신 다인이 두 번째 마차에 타게 되었다.

이럴 거면 대체 왜 호위 기사를 데려온 건지 알 수가 없지만 그 부분을 건드리면 모든 게 끝장이다.

"그러고 보니 에반, 저쪽 마차 사람들은 얼굴이 전부 말이 아니던데."

"그야 주인장은 어제 내내 요릿집마다 돌아다니면서 배 터지도록 먹었고 오르타는 계속 세공소에 처박혀 있었으니까. 지금쯤 제정신이 아닐걸."

일단 마차에서 실례를 하지 않도록 린에게 부탁해 상태 이상 치유 마법은 걸어 두었지만 그것으로 충분했을지는 누구도 알 수 없다. 에반은 어른들 틈에 끼어 고생하고 있을 디토와 폴에게 마음속으로 사죄했다.

"그래서 목적은 달성한 건가? 그 꼬치 요리사, 얼굴은 죽어 있었지만 에반 공자가 건네준 믹서를 들더니 돌연 환하게 웃던데."

"완벽하게."

엘로아의 물음에 에반이 자신만만한 미소와 함께 고개를 끄덕였다.

"주인장은 이제 그 누구도 넘볼 수 없는 최고의 요리사가 될 거예요. 어쩌면 먼 미래에 우리보다 더 많이 회자될지도 모르죠."

농담이 아니었다. 주인장은 본래 게임에선 플레이어들에게밖에 허락되지 않는 비기 푸드 퓨전을 완벽하게 터득했으니까.

앞으로 그가 만들어 내는 요리는 맛도 맛이지만, 먹은 사람의 능력을 향상시켜 주는 효과를 품게 될 터.

이전에도 요리사들이 우연히 마법 요리를 만들어 내 떠들썩해지는 경우는 있었지만, 그것을 의도적으로 만들어 내는 이는 단언컨대 주인장이 최초일 것이다. 그리고 최초는 역사에 남는다. 주인장은 역사에 그 이름을 새길 것이다!

"주인장이라는 이름 석 자가 대륙에 널리 퍼지게 되겠지."
"공자님, 적어도 그 부분에선 진짜 이름으로 불러 주어야 하는 것이 아닐지……?"
"흠, 그렇다면."

디오나가 식은땀을 흘리면서도 제때 적절한 태클을 넣어 주는 와중, 엘로아가 만족스러운 표정을 지으며 말했다.

"팔만에 도착하면 우리 주방에 그 사람을 세워도 좋겠어."
"그거 좋죠. 팔만 항구의 해산물도 맛으로는 알아주니까. 주인장이라면 처음 보는 해산물도 얼마든지 멋지게 조리할 수 있을 거예요. 맛있는 해상 몬스터면 더 좋겠는데."
"해산물…… 아직 먹어 보지 못했습니다."

벨루아가 아련한 말투로 중얼거리며 에반의 소매를 붙잡았다. 그는 피식 웃으며 벨루아의 소매를 맞잡아 주었다.

"기대해도 좋을 거야, 루아. 맛있는 건 정말 맛있거든."
"예, 기대가 됩니다. 그뿐만이 아니라 항구, 바다…… 전부 처음입니다."

벨루아는 몸을 살짝 에반에게 기대며 재차 중얼거렸다. 이런 벨루아의 모습을 본 것만으로도 이번 여행에 나서 다행이라고 에반은 생각했다.

"샤인을 데리고 오지 못해 유감이네."
"후훗…… 제가 나중에 말로 설명해 주겠습니다."

벨루아가 에반에게 기대는 모습에 아직 에반과 벨루아의 관계를 잘 모르는 디오나가 너도 하녀데 괜찮은 거냐고 태클을 걸 뻔했지만, 그 직전 아리샤가 필사적으로 신호를 주어 어떻게든 실수를 하지 않고 넘어갈 수 있었다.
신분의 문제가 아니다. 둘이 이런 분위기를 풍기고 있을 땐 세레이나조차 감히 방해하지 못하는 것이다! 아리샤는 이것을 속으로만 슈퍼 벨루아 타임이라고 부르고 있었다.

"단장 오빠야, 팔만은 뭐 하는 곳이야?"
"요를 붙이라니깐!"

그때, 로이젠에서 한껏 즐기고 만족한 표정을 짓고 있던 란이 에반에게 그런 질문을 해 왔다. 에반은 란의 말투를 교정해 주는 린까지 한꺼번에 쓰다듬어 주며 답했다.

"팔만은 말이지, 낚시를 하는 곳이야."
"팔만에서 나고 자란 사람으로서 한마디 하건대."

엘로아가 무척 언짢은 표정으로 선언했다.

"결코 아니다."

❈ ❈ ❈

"월척이오!"

에반은 팔만 항구에 도착한 바로 그날, 항구에서 가장 유명한 낚시터에서 MVP를 달성했다.

"허억, 저 소년 좀 보게! 이번엔 제 몸보다 더 큰 연어를 낚았어!"
"이럴 수가, 연어가 진주를 물고 있는데!?"
"조개도 아니고 연어가 무슨 진주를 물고 나타난단 말인가…… 아니, 진짜잖아!"

오늘도 월척의 꿈을 안고 낚시터를 찾아온 낚시꾼들이 에반이 낚아 올린 물고기를 보며 경악하여 수군거렸다.
그러나 정작 월척을 낚아 올린 에반은 담담한 표정으로 진주만 빼내고는 연어를 뒤로 넘겼다. 다인이 역시나 담담한 표정으로 그것을 받아 이미 많은 물고기가 퍼덕이고 있는 대야에 그것을 넣었다. 처음엔 그도 경악했지만 세 마리가 넘어가면서 슬슬 익숙해진 것이다.

"나두 낚았어! 단장 오빠야, 나두 낚았어!"
"그다음엔 나!"

월척 행진을 이어 가는 에반의 옆에서 린과 란 자매도 교대로 낚싯대를 붙잡으며 순조로이 성과를 올리고 있었다.
그렇다. 로이젠에서 활약했던 멤버들이 고스란히 이곳에서도 활약하고 있었던 것이다. 그 모습을 보며 디오나는 비로소 진실을 깨달았다.

"공자님, 혹시 로이젠에서 연승을 거듭하셨던 건……."
"응, 포커페이스가 아니라 그냥 운이 엄청 좋았던 거야."
"이럴 수가……."
"사기를 치려는 사람의 손이 미끄러지게 만들고, 내가 원하는 타이밍에 원하는 패가 갖추어질 정도의 운 말이지."
"사기를 치려 했던 건 제 잘못입니다만! 물론 그렇지만!"

이 내가, 도박의 도시 로이젠에서도 가장 승률이 높은 완벽한 딜러로 자리매김했던 내가 운이 무진장 좋을 뿐인 사람에게 져서 인생을 저당 잡혔던 거라니!
이제야 깨닫게 된 진실의 무게는 디오나가 감당하기엔 너무나 무거웠다. 그런데 그 옆에서 그녀와 비슷하게 좌절하고 있는 이가 한 명 더 있었다.

“아니, 낚시의 기교도 없는 인간들이 어떻게 이런……!”
“엘로아, 원래 낚시는 기술보다 운이에요, 운.”

언제나 냉정 침착한 표정을 유지하던 엘로아가 지금은 에반의 만행 앞에 치를 떨고 있었다.
팔만에서 나고 자란 항구의 딸 엘로아에게 있어 낚시의 니은 자도 모르는 에반과 린, 란이 바다의 보물들을 쓸어 가는 모습은 과히 용납하기 힘든 것이었다.
섬세한 테크닉 대신 무지막지한 운과 감각, 힘으로 무장한 그들이 지금 항구 낚시의 역사를 새로 고쳐 쓰고 있는 모습이라니!

“아, 또 입질 온다. 슬슬 보물 상자 걸릴 때 안 됐나?”
“도련님께서 그렇게 말씀하시니 정말 보물 상자가 낚이기라도 할 것 같군요.”

당연하지만 진짜 낚인다. 오히려 팔만 항구 낚시의 진가는 바다에 숨은 보물 상자를 낚아 올리는 데에 있는 것인데!

“대체 낚시를 뭐라고 생각하는 거야. 보물 상자를 낚다니, 난 한 번도 들어 본 적이 없는데.”

"그야 보물 상자는 행운이 높아야만 출현하니까."

요마대전 시리즈를 통틀어 행운이라는 스테이터스는 가장 미묘한 스테이터스다. 분명 치명타율을 높여 주고, 분명 회피율을 높여 주고, 분명 아이템 드롭을, 분명 돈 드롭을 높여 주지만 그 모두가 한없이 어정쩡하니까.

지금 에반이 착용하고 있는 행운 증가 장비라도 풀 세트로 장비하고 있지 않은 한은 의미가 없는데, 그 행운이 뚜렷하게 드러나는 분야가 단 두 가지 있었으니 바로 도박과 낚시였다.

그중에서도 팔만 항구의 보물 상자 낚시는 요마대전에서도 가장 인기 있는 서브 콘텐츠 중 하나였다!

"행운에 올인 하고 요마왕 논스톱 클리어를 달리는 변태들이 나타나기 전까지만 해도 행운 장비는 오직 로이젠과 팔만에서만 착용하는 장비라는 게 불문율이었어."

"……도련님, 혹시 그 장비를 입고 요마왕에게 도전하실 생각입니까?"

"아니, 요마왕을 잡는 건 샤인이고."

에반은 물고기들을 살피다 말고 기겁하며 반문하는 다인에게 냉정하게 대꾸해 주며 낚싯대를 힘껏 들어 올렸다. 그 끝에는 당연하다는 듯이 보물 상자가 걸려 있었다.

"좋아, 드디어 하나 낚았네."
"팔만은, 팔만은 이런 곳이 아냐……."
"진정해요, 엘로아."

한편 벨루아는 무엇을 하고 있었는가 하면, 낚시를 하는 에반 옆에 조용히 시립한 채 끝없이 펼쳐진 넓은 바다를 바라보고 있었다. 생애 처음으로 보게 된 바다가 그녀의 상상보다 더욱 인상 깊은 모양이었다.

"이렇게나 아름다운 바다를 눈앞에 두고 화를 내는 것은 아까운 일입니다."
"그 아름다운 바다를 지금 네 주인이 실시간으로 모욕하고 있는 것만 같은 기분인데."
"분명 바다가 도련님을 환영해 선물을 내주고 있는 것이겠지요."

바다와 마주하고 있는 벨루아는 평소에 비해서도 한층 순수한 표정을 짓고 있어 무척 매력적이었다. 원래 에반에게만 지어 주던 표정을 지금은 미미하게나마 다른 사람을 향해서도 짓고 있었다.

"바다를 마음에 들어 해 주니 나도 기쁘긴 하다만……."
"오오, 천사님이 웃었어."

"저 소년은 대체 어느 집 자식이길래 저렇게 예쁜 여자들을 많이 데리고 다니는 거야?"

사실 에반 일행 주위에 몰려든 낚시꾼 중 대다수는 벨루아를 비롯한 여성진의 미모에 이끌려 더더욱 그들 주위에 얼쩡거리고 있는 것이기도 했다.

"단장님, 저도 하나 낚았어요!"
"잘했어, 디토. 오늘 낚은 물고기로 저녁 먹을 거니까 더 힘내자."
"넵!"

다른 일행은 둘째 치고 에반과 린, 란 자매가 낚은 물고기로 저녁을 먹는다면 일개 기사단은 배불리 먹일 수 있을 것 같은데…….
엘로아는 팔만의 지배자의 딸로서 이들을 항구에서 내쫓아야 하나 진지하게 고민했지만, 에반이 낚은 거대 연어는 본인도 먹고 싶었기에 꾹 눌러 참기로 했다.

"루아, 인벤토리 포켓 새 거 가지고 있지?"
"예, 도련님께서 말씀하신 상태 고정 마법이 첨부된 것입니다."
"좋아, 던전 도시에서 두고두고 먹을 수 있게 최대한 많이 낚아 가자!"

"당장 이 도시에서 나가!"

그날, 에반은 린, 란 자매와 힘을 합쳐 끝내 총 일곱 개의 보물 상자를 낚고 삼백여 마리의 물고기를 낚았다.

다른 누가 그들의 전리품을 확인했더라면 어디서 원양어선이라도 들어왔나 의아해했을 것이다.

❁❁❁

"어서 오시오, 에반 디 셰어든 공자! 그대의 이름을 이 먼 땅에서도 익히 듣고 있었소이다!"

엘로아가 장담한 대로 팔만의 지배자, 딜로드 폰 시르페 백작은 에반 일행을 환대해 주었다.

고명딸로 특히나 아끼던 엘로아가 지금 셰어든에 적을 두고 있는 이상은 물론 그럴 수밖에 없으리라. 에반이 셰어든의 실권자 중 한 명이라는 소문은 마나로드에도 익히 알려져 있었으니!

"반겨 주셔서 고맙습니다, 시르페 공. 인품과 능력을 모두 갖춘 엘로아 영애의 모습을 보며, 늘 시르페 공과도 한번 만나고 싶다고 생각했습니다."

에반은 입술에 침도 한 번 안 바르고 거짓말을 하며 백작과 악수를 했다. 악수를 마친 그가 손뼉을 치자 대기하고 있던 벨루아가 한 걸음 앞으로 나섰다.

그 품에는 큼지막한 상자가 들려 있었는데, 가녀린 체구에도 불구하고 높은 수준까지 단련한 신인족답게 아무렇지 않게 그것을 들고 있는 모습에 백작은 내심 놀랐다.

"과연 셰어든, 수행인들도 상당한 수준이구려."

"그녀는 하녀복을 입고 있으나 향후 던전 기사단에 입단할 인재입니다. 뛰어난 마도사이기도 하죠. 헷갈리게 해 드려 죄송합니다."

"이런, 내가 실례를 했군. 그러고 보니 우리 딸이 보낸 편지에서 마도에 대한 토론을 나누는 친구가 있다는 얘기를 본 것 같은데, 혹시……?"

벨루아는 우선 백작의 곁에 있던 집사에게 상자를 넘기고는 정중히 고개를 숙여 인사했다.

"주제넘게 인사드립니다. 벨루아라고 합니다."

"오오, 역시 그랬군! 다시 한 번 무례를 사과하겠네. 그리고 친구가 없는 우리 딸과 친하게 지내 주어 고맙네!"

백작은 스스럼없이 벨루아에게 악수를 청했다. 물론 벨루아를 귀히 대하는 에반과 엘로아의 눈치를 보고 행동한 것일지도 모르겠지만 곧장 악수를 청해 오는 모습이 과히 나빠 보이지는 않았다.

"영광입니다, 각하."

"앞으로도 딸을 잘 부탁하네, 벨루아. 평생 친하게 지내는 이 하나 없던 딸이 갑자기 나이가 조금 어린 친구가 생겼다는 말을 하는데 내가 어찌나 놀랐던지……."

"아버님, 닥치세요."

엘로아가 지금 당장 입을 다물지 않으면 동상으로 만들어 버릴 것처럼 얼음의 마나를 끌어올리며 백작을 협박했다. 백작이 큼큼 헛기침을 하며 말을 돌렸다.

"그, 그렇지. 그래서 에반 공자, 이건……?"

"셰어든에서만 구할 수 있는 것들을 조금 담아 봤습니다. 부디 마음에 드셨으면 좋겠습니다만."

"허어, 오오오오! 딸을 잘 둔 덕에 내가 이런 선물을 다 받아 보는구려!"

백작은 상자의 내용물을 보며 지극히 감격했다. 마치 몇 달 전부터 백작에게 줄 선물을 준비하고 있었다고 해도 믿을 법한 고급품들이 잔뜩 담겨 있었던 것이다.

“이런 분들과 함께하고 있다니 정말 안심이 되는구나, 엘로아.”

“여전히 알기 쉬운 속물이군요, 아버님.”

그런 말을 하면서도 엘로아 역시 제법 만족스러운 눈치였다. 자신이 데려온 손님의 선물에 아버지가 좋아하니 나쁜 기분은 아니었던 것. 실로 성공적인 조우였다.

뒤에서 그 모습을 지켜보던 디오나가 조용히 다인에게 물었다.

“그래서 공자님의 본모습은 어느 쪽인가요?”

“그건 내가 알고 싶군. 적어도 저 모습이 아니라는 건 분명한데 말이지.”

그날 저녁은 만찬회가 열렸다. 엘로아의 말을 듣고 백작이 정중히 주인장에게 주방에 서 줄 것을 부탁한 결과, 주인장은 자신이 익힌 푸드 퓨전으로 만든 요리들을 백작가의 식탁에 처음으로 차려 내 보이게 되었다.

“허어, 돼지고기와 해산물을 이렇게 섞어 낼 수가 있었다니!”

“어머나, 이 연어는 정말 크군요. 이 항구도시에서도 몇 번 본 적이 없는 크기예요. 게다가 조리법도 일품인걸요!”

“베인, 그대 이름을 내가 꼭 기억하겠네!”

에반도 기억하지 않는 주인장의 이름이 해외에서 본격적으로 유명해지기 시작한 순간이었다.

한편 에반은 팔만 항구에서만 잡히는 게의 끝판왕, 엠퍼러 크랩의 집게 다리 살을 발라내 만든 꼬치를 입에 물며 고개를 갸웃했다.

"스테이터스를 볼 수 없으니 스탯이 뭐 어떻게 오르는지 알 수가 없네."

"맛은 어떻수?"

"그야 최고지."

효과는 당장 알 바가 없지만 맛은 최고였다. 과연 던전에서 나는 무수한 몬스터의 고기를 사전 정보 없이 요리해 내놓는 솜씨를 지닌 주인장답게 생전 처음 보는 해산물들도 그 특징을 척척 맞춰 기가 막히게 조리해 낸 것이다.

"너무 맛있어서 내가 엠퍼러 크랩의 등에 타고 바다를 일주하는 환각을 볼 정도였어."

"흐흐, 그거면 된 거 아니겠수."

"……주인장이 기술 하나 익히더니 갑자기 현자가 됐네."

하지만 뭐, 지금은 정말 그걸로 충분한 것일지도 모른다. 에반은 주인장의 말에 고개를 끄덕이며 꼬치의 살점만을 발라내 입에 밀어 넣었다. 재차 엠퍼러 크랩과 함께 바다를 질주하는 환각이 뇌리를 지배했다. 줄어들지 않는 감동이었다.

그래도 이 중 어떤 요리가 스테이터스를 올려 줄지 모르니 일단 전부 한 입씩은 먹어 두기로 했다.

❁❁❁

에반은 로이젠에서도 그러했듯 팔만에서도 2박을 묵을 예정이었다. 에반의 선물과 주인장이 차려 낸 만찬에 무척이나 깊은 인상을 받은 백작은 에반을 위해서라면 자신의 방이라도 비워 줄 기세였고, 그 덕에 따로 숙소를 구하지 않고도 편하게 쉴 수 있었다.

"후, 배부르다."
"오늘은 무리하셨습니다."

창가에 앉아 바닷바람을 쐬며 멍하니 중얼거리는 말에 대답이 돌아왔다. 물론 벨루아였다. 숙소는 철저하게 성별과 사람 숫자에 따라 나누었지만 엘로아가 친구인 벨루아를 위해 뒤에서 손을 써 준 것이다.

혹시나 들킨다 해도 벨루아는 당당했다. 전속 시녀로서 에반의 시중을 들고 있을 뿐이라고 설명하면 된다. 그야 아리샤는 무척 이를 갈겠지만.

"혹시 스테이터스를 영구적으로 높여 줄지도 모른다고 생각하니 놓칠 수가 없어서."

"그는 도련님을 위해서라면 언제든 같은 것을 만들어 낼 것입니다."

"그렇겠지. 그래도 최초는 특별하니까."

"최초는 특별……."

에반이 별 뜻 없이 한 말에 벨루아의 눈동자가 조금 커졌다. 최초가 특별, 벨루아에겐 오늘이 실로 그러했다.

처음 본 바다, 항구, 등대, 물고기, 사람들, 요리. 서민에게도 친절히 대하는 귀족은 셰어든 일가를 보며 익숙해져 있었지만 시르페 백작이 자신에게 아무런 망설임 없이 악수를 청하는 모습에 깜짝 놀라기도 했다.

"무척 인상적인 처음으로 가득한 날이었습니다."

"루아가 즐겨 줬다니 기쁘네. 사실 나도 즐거웠어."

바다라니. 에반의 전생에도 별 인연이 없는 장소였다. 일과 게임으로 점철된 인생을 살던 여반민에게 바닷가는 모니터 너머로만 보는 것이었으니까.

그런 그에게 항구에서 낚시를 하는 것은, 본래 목적인 보물 상자 수집을 떼어 놓고 봐도 무척 즐거운 경험이었다.

덤으로 자신이 월척을 낚아 올릴 때마다 사정없이 구겨지는 엘로아의 얼굴을 보는 것도 즐거웠다. 낚시는 평생 안 해 본 것처럼 굴더니 새빨간 거짓말이었다.

"저는 샤인에게 진심으로 미안해지기 시작했습니다."

"다음 펠라티 던전 축제 때는 우리가 셰어든을 지키고 샤인을 내보내 줘야겠네."

에반도 아직 정식으로 발족하지도 않은 던전 기사단의 부단장이라는 직책 탓에 던전 도시에 묶이는 신세가 된 샤인에게 약간의 죄책감을 갖고 있었다. 다음 기회가 온다면 그땐 샤인에게 양보하자고 마음먹고 있었다.

"도련님과 함께 바다를 바라보는 영광은 놓치게 되었군요."

"그게 중요한 거야?"

"예, 가장 중요합니다."

벨루아는 에반의 물음에 망설임 없이 고개를 끄덕이며 수줍게 웃었다.

"샤인은 도련님께서 월척을 낚아 올리는 근사한 모습도 보지 못하게 되었으니."

"아니, 있어 봐. 샤인한테 황금왕 장비를 빌려줘야겠어. 그 녀석이 이 귀걸이를 끼고 있는 모습도 제법 볼만할 거야."

말을 하다 보니 상당히 그럴듯한 발상이라는 생각이 들었다. 팔만뿐만이 아니라 로이젠도 그렇다.

에반은 한 번 로이젠을 초토화시켜 놓았으니 이제 그 도시에서 환영받지 못하겠지만 황금왕 장비로 무장한 샤인이라면 다시 한 번 로이젠을 털어 올 수 있는 것이 아닐까!

"그것도 제법 재미있겠습니다. 다만 샤인은 도련님보다도 표정 관리가 안 되니 크게 벌어 오지는 못할 것 같네요."

"그렇지. ……아니, 잠깐만. 루아, 나 로이젠에서는 그래도 제법 포커페이스 되지 않았어?"

"죄송합니다만 도련님…… 아예 패를 보지 않으셨을 때가 가장 그럴듯했습니다."

"역시나. 마지막 승부수는 그걸로 걸어야겠다는 생각이 들더라고."

둘은 그 후로도 별 의미 없는 잡담을 나누며 창문 너머로 일렁이는 바다를 바라보았다. 그녀가 따라 주는 독차를 마시다 보니 위장에 가득했던 음식물이 녹아내리기라도 한 것인지 한결 편해졌다.

"……도련님, 아직도 불안하신가요?"

문득 벨루아가 물었다. 셰어든을 떠나기 전 에반이 그렇게

나 걱정하던 모습에 계속 마음을 쓰고 있던 것이다.

"루아…… 아니, 이제 괜찮아."

에반은 작게 웃으며 고개를 저었다.

"대비는 충분히 해 뒀으니까. 계속 징조만 나타나고 사건은 터지지 않아서 내가 민감해져 있었을 뿐이야."

게임을 플레이하다 보면 언제나 절대적으로 작용하는 법칙이 있다. 징조가 나타나면 그 후 반드시 거기에 합당한 사건이 발생한다는 것. 체호프의 총 이론이라고도 하는데, 요마대전 시리즈 역시 마찬가지였다.

……하지만 이 세상은 게임이 아니라는 것을 에반도 이젠 충분히 알고 있는데, 대체 언제까지 착각을 하고 그것을 깨달아야 이 병이 낫는 것일까 스스로도 질릴 지경이었다.

"나 한 명 없다고 크게 달라질 것도 없을 테고."

"그건 결코 아닙니다만…… 설령 사건이 터진다 해도 충분히 막아 낼 수 있을 겁니다. 도련님께서 그렇게 되도록 준비하셨으니까."

"루아가 그렇게 말한다면 확실하겠지."

"예, 믿으셔도 좋습니다. 특히 샤인과 라이한은, 도련님이 아니고선 그 누구도 뚫을 수 없을 테죠."

벨루아가 그렇게 말하며 손을 뻗어 티 포트를 데웠다. 에반은 그녀가 따라 주는 차를 받으며 슬며시 미소 지었다. 새삼 자신이 그녀와 구축하고 있는 관계가 믿기지 않아서였다.

하지만 이것을 입 밖에 내면 바로 그 순간 관계가 크게 흔들리기 시작하리라. 그것은 아마도 에반 역시 바라마지 않는 방향이겠지만, 그렇기에 더더욱 참아야만 했다.

"……바다가 예쁘네."
"펠라티 역시 아름다운 곳이겠지요."
"분명히 그럴 거야. 기대해도 좋아."

게임 화면으로 본 CG조차 그렇게 아름다웠는데 실제로 보면 얼마나 대단하겠는가. 더구나 펠라티 던전 축제는 게임 시나리오에도 등장하지 않았던 이벤트.

셰어든에서 무슨 일이 일어날지 모른다는 근거도 없는 불안감만으로 참여하지 않기에는 너무나 매력적인 이벤트. 요마대전 독극물인 에반 입장에서는 결코 놓쳐선 안 될 이벤트였다.

"아리샤 아가씨도 단단히 마음먹고 계신 것 같았습니다."
"아…… 응, 그렇네."

기껏 화제가 다른 방향으로 가나 싶었는데. 에반은 쓴웃음을 지으며 고개를 끄덕였다. 벨루아는 티 포트가 빈 것을 확인하고는 그것을 정리하며 말했다.

"아리샤 아가씨는 무척 올곧은 분이지요."
"반대 아냐?"
"말투가 아닌 마음이."

혼났다. 에반이 어깨를 움츠리자 벨루아는 다시 작게 웃었다.

"물론 세레이나 전하가 없었다면 더 오래 걸렸겠지만요."
"우린 아직 열다섯 살인데."
"벌써 열다섯입니다, 도련님. 성인이 되기까지 3년도 채 남지 않으셨습니다."

정말 그렇다. 전생의 기억을 되찾고도 어느덧 6년 이상이 흘렀다.
반대로 말하면, 벨루아와 이 세상에서 만난 지도 6년 이상이 흘렀다. 만났을 때만 해도 일곱 살의 어린 여아였던 그녀의 나이도 이제 열셋이 되었다. 겉으로 보기엔 이미 반쯤 성인이다.

"그 이상 피하기만 하시면, 아리샤 아가씨가 너무나도 불쌍합니다.”

“……역시 내가 좀 너무했지.”

“예, 세레이나 전하는 그래도 굴하지 않으시지만, 아리샤 아가씨는 마음이 여리시니까요.”

벨루아는 ‘그래서 저는 감사하지만’이라는 말을 꿀꺽 혼자 삼켰다. 아리샤와는 서로 티격태격했지만, 그래도 그녀는 아리샤와 맺었던 동맹을 완전히 잊고 있지 않았다. 아슬아슬하게 아직은.

“나도 언제까지고 도망만 치지는 않아. 레오 할아버지랑 싸우고 나도 달라졌다고.”

“저도 물론 알고 있습니다. 다만 이성 관계에 있어서는 여전히 조심스러우시지요.”

“그건…… 아직은, 있지.”

에반이 말을 애매하게 흐리며 창밖으로 시선을 돌렸다. 그 옆모습이 서글프게도 아름다웠던 탓에, 벨루아는 그만 입이 미끄러지고 말았다.

“그런데도 제게만 이렇게 마음을 열어 주시면…….”

제가 자꾸 착각을 하게 됩니다.

제게만 유리한, 착각을.

"……응?"
"아, 아니. 실언이었습니다. 부디 잊어 주세요."

벨루아의 얼굴이 순식간에 새빨갛게 물들었다. 지나치게 다가서면 에반이 겁을 먹는다는 것을 알고 있으면서도 그만 이런 실수를 하다니.
못 들었으면 좋겠지만 에반의 볼도 붉게 변한 것을 보면 도망칠 길이 없었다. 벨루아는 죽어가는 목소리로 다시 말했다.

"잊어 주세요. 부탁드립니다."
"잊을게."

서로의 마음은 어느 정도 알고 있다. 점점 더 빠르게 그 마음이 깊어 가고 있지만, 아직 나아갈 때가 아니라는 것 또한 둘 다 알고 있었다.
그렇지만 이대로 물러서는 것은 에반도 어딘가 마음에 들지 않았다. 그저 그런 생각이 들었다.

"벨루아?"
"네, 도련님."

제법 침착해진 목소리로 벨루아가 답했다. 에반은 훗, 짧게 숨을 토해 내곤 말했다.

"그…… 달이, 참 예쁘네."

"……예, 그렇네요."

"좀 더 보다 잘까?"

"예, 그게 좋겠습니다."

역시 이 세상의 소설가들은 은유적인 표현을 즐겨 하지 않는 것일까.

에반은 벨루아의 평온한 대꾸에 쓰게 웃으면서도 그대로 시선을 바닷가로 돌렸다. 전달되었으면 전달되는 대로 큰일이니 이쪽이 낫다고 생각하며.

귀까지 새빨갛게 물든 벨루아의 모습을 발견하지 못한 것은, 분명 에반도 무척 동요하고 있던 탓이었으리라.

그다음 날 에반 일행은 팔만 근처의 중요한 던전들을 순회하기로 했다. 다만 던전을 도는 것은 에반과 벨루아, 아리샤, 디토와 폴뿐. 나머지 멤버들에게는 어제에 이어서 낚시를 계속할 것을 명했다.

"이 장비 진짜 귀한 거 알지? 소중히 다뤄야 한다."
"아, 진짜 싫다……."

에반은 다인이나 주인장에게 빌려줄까 한참을 고민했지만 결국 황금왕 장비 세트를 디오나에게 빌려주기로 했다.
본래 딜러로서 이름이 높은 그녀는 다른 이들에 비해 행운 스테이터스도 높을 터, 그런 그녀가 황금왕 세트를 착용한다면 그 효과는 모르긴 몰라도 에반보다는 훨씬 대단할 테니까!

"와, 진짜 잘 어울려. 사교계의 여왕님 같아."
"과연 이 사람을 따르기로 한 건 정말 잘한 선택이었을까……."

황금 귀걸이에 목걸이, 팔찌에 반지, 가면까지 풀 세트로 착용한 바니걸이 낚싯대를 들고 있는 모습이란 실로 장관이었다.
이대로 그녀의 그림을 그려 왕궁 전시회 같은 곳에 걸어 놓으면 그 그림에 담긴 뜻을 탐구하기 위해 무수한 학자들이 골몰하게 될지도 몰랐다.

"이렇게 부끄러울 수가……."
"그러면 하다못해 옷이라도 갈아입지그래?"
"이건 제 프라이드입니다, 공자님. 결코 갈아입을 수 없습니다."

"정말 쓸데없는 부분에서 프라이드를 주장하는구나."

사실 노출이 많고 바디 라인을 드러내는 바니걸 복장은 에반의 눈도 즐겁게 해 주는지라 굳이 하녀복을 강요할 생각은 없었다. 단지 아리샤의 원독 어린 시선이 신경 쓰일 뿐이다.

"제 몸을 걱정해 주시는 거라면 괜찮습니다, 공자님. 도박사에게는 적절한 수준의 무력도 필수 교양. 제 몸만 보고 다가오는 무뢰한 정도는 자력으로 퇴치할 수 있습니다."

"응. 뭐, 그렇다면야. 다인, 내가 없는 동안 디오나를 지켜 줘."

"알겠습니다."

다인은 순순히 대답하면서도 조금 불만스러운 기색이었다. 그도 그럴 것이 그는 에반의 호위 기사니까!

만약 벨루아가 이 자리에 없었더라면 어떻게든 동행했을 터이나, 에반만큼이나 벨루아의 힘을 잘 알고 있는 그이기에 물러난 것이었다.

"좋아, 그럼 우리는 던전으로 출발해 볼까!"

"제가 란이랑 같이 보물 상자 모두 낚을게요!"

"맡길게, 린. 무지개색으로 반짝이는 거 다섯 개만 낚으면 돼."

"넵!"

"단장 오빠야, 잘 다녀와! 요!"

에반은 낚시 팀에게 진심을 담아 경례하고는 던전 팀과 함께 출발했다. 디토와 폴은 시니어조와 함께 던전에 들어간다는 생각에 긴장하고 있었지만 아마 던전의 수준을 알게 되면 곧 맥이 풀리게 될 터였다.

"그런데 디오나 있잖아."

자동 마차를 몰아 첫 번째 던전으로 향하며 에반이 말했다.

"다인이랑 잘될 수 있을까."
"무슨 생각을 하나 했더니."

아리샤가 어처구니없어하며 고개를 저었다.

"예전부터 네가 주위의 적당한 남자와 여자를 붙이고 싶어하는 건 알고 있었는데."
"많이 티 났나?"

그것은 되도록 자신의 배때기를 노리는 여자의 칼날을 줄여 보고자 하는 에반의 발버둥이었다. 자랑은 아니지만 여태까지는 제법 성공률도 높았다. 더욱이 이번에는 내심 더 신경을 쓰고 있었는데…….

"유감스럽지만 이번엔 텄어. 디오나라는 여자는 처음부터 너한테 꽂혀 있었잖아."

까놓고 말해 래빗하우스에서 쫓겨나며 목숨의 위협까지 받게 되었다고는 해도 디오나가 달리 택할 길은 얼마든지 있었다고 아리샤는 생각했다. 래빗하우스와 경쟁하고 있는 카지노에 몸을 맡기는 방법도 있었다.

그럼에도 그녀가 굳이 자신을 몰락시킨 에반을 찾아온 이유는 하나뿐이지 않겠는가. 물론 에반도 대충 짐작은 하고 있었지만 아직 희망을 버리지는 않고 있었다.

"하지만 다인이 잘해 주면……."
"그쪽은 더 절망적이야."
"다인 경은…… 무척 좋은 분입니다만."

벨루아의 말에 에반은 이마를 짚었다. 여자가 남자를 칭찬할 때 가장 먼저 좋은 사람이라는 말이 나오면 그건 이미 그른 것이라는 사실을 에반도 잘 알고 있으니까.

그때 아리샤가 무척 안타깝다는 표정을 지으며 입을 열었다.

"에반, 알고 있어? 그 주인장이랑 오르타도 로이젠에서 한 번 이상씩은 여자한테 말을 걸렸다는 걸."
"로이젠은 개방적인 도시니까. 게다가 두 사람 다 썩 괜찮고."

오르타는 요마대전 3에서 본인 전용의 퀘스트 라인까지 갖고 있을 만큼 비중이 있는 조연이고, 주인장에 이르면 본래는 몬스터 고기를 전문으로 사들이며 요마대전 3이 진행되는 내내 얼굴을 비추는 업자 NPC였다. 즉 어느 정도의 매력은 갖추고 있는 게 당연하다는 얘기.

다만 둘 다 에반의 명 때문에 바삐 움직이느라 한눈을 팔 틈이 없었던 것이 문제다. 주인장은 그렇다 치고 오르타는 원래 여자에 별 관심이 없기도 하고.

"하지만 다인은……."

"……아니, 그 이상은 말하지 마. 내가 잘못했어."

에반은 이를 악물며 다짐했다. 언젠가 반드시 자신이 다인을 인기 만점으로 만들고 말겠다고! 대사 한 줄 없이 잊히는 엑스트라의 운명에 거역하고야 말겠다고!

에반 일행은 그날 저녁에 인근에서 얻을 수 있는 모든 전리품을 들고 팔만으로 귀환했다.

특히 공략자의 선택에 따라 한정된 재보 안에서 좋은 것을 순차적으로 가져갈 수 있는 카를로사 탑에서 본래는 요마대전 1 시점에 사라졌어야 할 마력 보조 아티팩트인 목걸이를 얻은 것은 큰 수확이었다.

"이건 벨루아 거네. 여행 마치고 돌아갈 즈음엔 오르타도 각인을 익힐 테니까, 각인만 하면 이건 최종 장비로 써도 손색이 없을 거야. 그…… 받아 줄래?"
"……감사합니다, 도련님."

로이젠에서 얻은 가장 큰 보물은 아리샤에게 넘겨주었으니 이번 순번은 당연히 벨루아였다.
그러나 어째설까, 아리샤에게 선물을 주었을 때에 비해서도 명백히 에반이 부끄러워했을뿐더러 그것은 평소 냉정을 유지하던 벨루아도 그리 다르지 않았으니…….

"바른대로 말해. 너 어제 에반이랑 무슨 짓 했어?"

그즈음에서 대강 눈치를 챈 아리샤가 벨루아를 추궁했다. 벨루아는 에반이 직접 목에 걸어 준 목걸이를 매만지며 슬쩍, 아리샤의 눈을 피했다.

"저는 딱히 아무 짓도……."
"그럼 그 에반이 먼저?"
"도, 도련님이 먼저랄 것도 없었습니다만……."

보기 드물게도 수줍어하는 벨루아의 반응에 아리샤는 가슴이 덜컥 내려앉았다. 이건 정말 뭐가 있기는 있었다는 확신이 들었던 것이다.

"뭐, 뭐야. 허세로 날 압박하려는 셈이라면 그만두는 게 좋아! 소, 속지 않을 테니까."

"아무것도 없었습니다. 정말 신체적인 접촉은 조금도……."

"그럼 정서적인 뭔가가 있었다는 거야!? 아, 아니, 난 안 속는다니까!"

그러나 벨루아는 어젯밤 있었던 일에 대해 입을 여는 순간 없었던 것이 되어 버릴까 두려워 끝끝내 입을 다물었고, 이대론 뒤처지고 말겠다는 생각에 초조해진 아리샤는 펠라티에 도착하는 대로 반드시 만회하고 말리라 다짐했다.

"단장님, 단장님! 보물 상자 다 낚았어요!"

"그런데 무지개색으로 반짝이는 거 다섯 개가 아니라 일곱 개였어! 요!"

"뭐? 일곱 개라고? 어제 세 개를 낚았으니까 남은 무지개는 다섯 개가 맞는데…… 헉!?"

"우으으, 살아간다는 건 정말 힘든 일이군요……."

아리샤와 벨루아가 불꽃을 튀기는 사이, 자신의 목줄이 죄어 오는 것도 모르는 에반은 쌍둥이 자매와 디오나가 낚은 전리품을 확인하며 기겁하고 있었다.

분명 팔만 낚시터에서 낚을 수 있는 최고급 보물은 여덟 개로 끝인데 지금 보니 모두 열 개였던 것이다!

"설마 이 녀석들의 행운 수치가 기록을 초월할 만큼 높아서……? 아니, 하지만 변태 독극물들을 뛰어넘으려면 부족했을 텐데. 그렇다는 건 설마!"

업데이트! 요마대전 4 이후로도 DLC가 추가되거나 요마대전 5가 새로 출시되거나 하면서 팔만 낚시터의 보물도 추가된 것이 분명했다! 그렇다면 혹시 보물이 더 남아 있을 가능성도 있지 않을까!

"하, 하루만 이곳에서 더 묵으면 확실하게 파악할 수 있을 것 같은데……."

"이제 슬슬 안 가면 펠라티를 제대로 즐기지도 못할 거야, 에반."

"크으으윽!"

확실히 펠라티에서도 해야 할 일들이 있다.

이 이상 일정을 늦출 수 없다는 사실을 직감한 에반은 결국 밤낚시라는 카드를 꺼내 들었으나, 밤새 팔만 항구의 낚시 역사를 갈아 치울 어마어마한 크기의 골든 피쉬를 낚은 것이 유일한 업적이었다.

"돌아오는 길에도 들러야 할까."

"그만둬라. 이 이상 바다의 보물을 난획했다간 해신께서 진노하실 거야."

"엘로아는 고향과 관련되면 이미지가 상당히 무너지네요. 당신이 그런 망상 같은 존재를 입에 담는 건 처음 봤어요."

"바다에 사는 이들은 모두가 해신을 믿지. 지금은 셰어든에 적을 두고 있지만 나도 생각은 달라지지 않았어."

팔만을 떠나 펠라티로 향하는 마차에는 어김없이 엘로아가 타고 있었다. 그녀는 휴가 시즌 내내 팔만에 머무를 줄 알았는데 에반 일행과 함께 움직이며 그대로 셰어든으로 돌아간다는 것이다.

"섭섭하지는 않아요?"

"이미 오래전에 내놓은 자식이야. 팔만에는 내가 필요하지 않아."

엘로아는 가벼운 투로 말하며 창밖에 시선을 주었다.

"내가 있을 곳은 셰어든이야."

“……우리 입장에서는 고마운 일이죠.”

에반은 그런 엘로아의 말에 그저 묵묵히 고개를 끄덕일 뿐이었다. 그녀 위로 세 명의 오빠가 더 있다고 알고 있는데 팔만에 머무르는 내내 코빼기도 비치지 않은 것을 보면 대충 짐작은 갔다.

사람들의 의식이 잘 쳐줘야 근대 유럽에 머무르고 있는 이 세계에서, 여자의 몸으로 탁월한 마도의 재능을 타고난 엘로아는 다른 형제들에게 그리 좋게 비추어지지 않았을 터.

아마 그녀는 형제의 질시와 견제를 못 견뎌 스스로 고향을 뛰쳐나왔을 것이다.

‘게임의 자연스러운 진행을 위해서라도 셰어든은 제법 현대화가 진행된 환경이니까. 강해지기만 하면 성별 따윈 관계없이 대접받을 수 있기도 하고.’

반면 펠라티는 지배자인 펠라티 백작가는 무척 훌륭하지만, 사람들의 인식은 셰어든에 비해 다소 고루한 구석이 남아 있었다. 거기에 더해 같은 마나로드의 도시라는 점도 있어 엘로아가 그곳 대신 셰어든을 선택한 것이리라.

“처음 셰어든에 흘러왔을 때, 내가 도시에 적응할 수 있도록 여러모로 편의를 봐주신 소라인 후작 각하께는 그저 감사

할 따름이야. 그분에겐 늘 있던 일이니 잘 기억하지 못하시겠지만."

"우리 아버지 인품이야 뭐, 말할 것도 없죠."

"음, 무척 멋진 분이지. 한때는 측실의 꿈을 품기도 했는데."

그건 처음 듣는 얘기였다. 설마 이 나이에 새어머니를 모셔야 한단 말인가? 에반의 눈이 파르르 떨리자 엘로아는 피식 웃으며 손을 저었다.

"어린 소녀의 망상 같은 것이었으니 신경 쓸 필요 없어, 에반 공자. 그저 내겐 카리스마 넘치는 눈짓과 손짓, 그 간단한 제스처로 사람들을 움직이게 하는 그분의 권력이 눈부셨을 뿐이야."

"이유는 안 들었으면 좋았을 텐데."

"재력에 이어서 권력……. 엘로아가 남자한테서 느끼는 매력이란 다 그런 것뿐입니까?"

"음? 그럼 그 외에 뭐가 있지?"

담담한 표정으로 단언하는 엘로아의 모습에 그녀에게 물었던 벨루아가 역으로 말을 잃고 말았다.

다만 만약 그녀가 에반을 사랑하게 되어도 떨쳐 내기는 쉽겠다는 생각도 동시에 들었기에, 일단은 신경을 쓰지 않기로 했다.

"드디어 펠라티로 가는구나. 도중에 샛길로 빠지는 일이 쓸데없이 많았어……."

엘로아와 벨루아가 바보 같은 대화를 나누는 옆에선 아리샤가 안도의 한숨을 내쉬며 그런 말을 중얼거리고 있었다. 그 말을 들은 에반이 씩 웃으며 그녀의 어깨를 살짝 건드렸다. 친구와 인사를 나누듯 가벼운 터치였다.

"그래도 재밌었잖아?"
"뭐든지 그렇게 정리해 버리기만 하면 해결되는 게 아냐."

물론 재밌었지만. 그녀가 원하던 싱싱하고 새로운 자극으로 가득 찬 여행이기는 했지만, 이번 여행은 재밌기만 하면 좋은 여행이 아니니까.

"그러니까 각오하고 있어, 에반. 펠라티는 훨씬 더 재미있을 테니까."

아리샤가 생기 넘치는 목소리로 말하며 짓궂게 웃었다. 그녀는 이렇게 가끔 표정이 무너지는 순간이 실로 귀여웠다.

"펠라티는 재미없다면서 셰어든으로 오신 것으로 기억하는데, 참 재미난 말씀입니다."

"그때 펠라티엔 에반이 없었으니까…… 앗."

시의적절하게 날아든 벨루아의 지적에 아리샤가 당당히 대꾸했지만, 직후 자신의 말이 얼마나 대담한 선언인지 깨닫고 얼굴을 붉혔다.

마음이 앞선 나머지 이번 여행에서는 모두 실수만 연발이었다. 아리샤뿐만이 아니라 에반과 벨루아도 마찬가지였다.

'이건…… 진짜 큰일이야.'

그 와중에 에반은 생각했다.

'이러다 돌아가는 길엔 내 배에 식칼 두어 개쯤 꽂혀 있을지도 몰라!'

늦어도 한참은 늦은 후회였지만, 애석하게도 지금은 그에게 태클을 걸어 줄 샤인이 없었다.

그로부터 이틀 후, 일행은 비로소 펠라티의 초입에 이르렀다.

"와아아아아."

펠라티의 관문을 지나, 넓게 펼쳐진 펠라티 시내와 그 너머로 훤하게 드러나는 바닷가를 보며 란이 순수한 탄성을 토해냈다.

"팔만에서 본 것보다 더 예쁘다아!"

"큭, 그건…… 팔만은, 아무래도 항구를 관리하고 있다 보니 순수한 바다의 측면에서는, 큭……."

"뭘 경쟁하려고 하는 거예요."

무척이나 분해하는 팔만의 딸 엘로아를 다독여 주며 에반 또한 펠라티의 정경에 눈을 두었다. 사실 자신도 심정적으로는 란에게 동감이었다. 게임으로도 아름다웠지만, 실제로 눈에 담게 된 해안 도시의 아름다움은 장난이 아니었다.

"셰어든도 좋지만 자연환경을 즐기면서 살기엔 펠라티가 더 좋을지도 모르겠어."

"……흠, 흐음."

아리샤가 애써 태연을 가장하려 헛기침을 했지만 이미 코가 하늘 높은 줄 모르고 치솟고 있었다. 그녀는 최대한 아무렇지도 않은 척 슬그머니 이런 제안을 하기까지 했다.

"너도 언젠가는 던전 기사단장직을 은퇴하겠지. 그 후에 여생을 이곳에서 보내면 되잖아. 펠라티는 결코 널 매몰차게 대하지 않을 거야."

"그것도 좋겠네."

"그래, 그렇지……?"

아리샤의 눈빛이 조금 위험해졌다. 에반과 함께 펠라티에서 여생을 보낼 생각으로 만만인 모양이었다. 그 옆에서 이번 여행의 태클 전담인 디오나가 조심스레 태클을 걸었다.

"아가씨, 아직 발족도 하지 않은 던전 기사단을 은퇴하려면 앞으로 수십 년은 있어야 할 텐데요……."

"던전 기사단장을 대신할 인재는 얼마든지 있어. 당신도 셰어든에 가게 되면 알게 될 거야."

"지금까지 들은 정보만 종합해서 생각하면 결코 발을 들여선 안 될 곳 같네요."

이제 곧 던전 축제가 열리기 때문인가, 펠라티는 기분 좋은 활기로 가득했다. 펠라티 던전에 드나드는 모험가들은 물론 펠라티에 출입하는 상인과 관광객들로 도시가 시끌벅적했다. 마차가 워낙 많아 교통 체증이 일어날 정도였다.

"아, 저기 문어 다리 꼬치 파는 집이 보인다."

"맛있는 집이야. 여전히 하고 있구나. 그립네."

"너, 저런 것도 먹었어?"

에반이 놀라서 묻는 말에 아리샤가 작게 웃으며 대꾸했다.

"물론 하인에게 시켜서 몰래 사 먹었지만. 지금이라면 내가 직접 살 수도 있는걸."

그녀는 그 말을 곧장 행동에 옮겼다. 마차를 멈추고 내려 직접 상인에게서 꼬치를 구매한 것이다.

갑자기 아리샤가 나타나자 일대 거리에 충격이 일파만파로 번졌지만, 그녀는 도도한 표정을 유지하며 아무렇지 않게 상인에게 돈을 건네고 꼬치를 받아 들었다.

"항상 맛있다고 생각했어요."

"고, 고맙습니다, 아가씨!"

아리샤는 같은 마차에 탄 일행의 것도 사 들고 마차 안으로 복귀했다. 마차 문이 닫히자마자 바깥에서는 난리가 났다.

몇 년 만에 펠라티로 돌아온 아리샤 아가씨가 들른 집이라며 주위 사람들이 모조리 그 매점에 몰려든 것이다.

"계속 그 자리를 지키고 있던 집인데 갑자기 저렇게 달려드는 건 참 우스운 일이지."

"아리샤 너, 순수한 척을 하든 염세적인 척을 하든 하나만 해."

"그래도 꼬치는 맛있잖아?"

"그야…… 맛있네."

에반은 양념이 발려 잘 구워진 문어 다리 꼬치를 물어뜯으며 아리샤를 따라 웃고 말았다.

저 너머 매점으로 몰려드는 사람 가운데, 에반 일행의 바로 뒤를 마차로 따라오던 주인장 일행이 필사적으로 끼어드는 것이 보였다.

아마 꼬치구이를 파는 매점을 보고 그냥 지나칠 수 없었던 모양이다. 펠라티에도 형제꼬치의 분점이 있는데도!

"꼬치구이점이나 하기엔 아까운 인재야. 팔만에서 선보인 요리에는 미식가로 소문난 내 아버님도 경악할 정도였으니까."

"주인장을 그렇게 탐스러운 눈으로 봐도, 내 전속이니까 절대로 못 넘겨줘요."

"후후, 내가 기사단 본부로 자주 놀러 가면 되는 일이지. 아예 공자의 아내가 되면 더 좋겠네."

"재력과 권력에 이어 식욕에 넘어가다니…… 엘로아 당신은 정말 그걸로 괜찮습니까?"

일행이 탄 마차는 완만하게 펠라티를 순회했다. 도시의 외곽부터 시작해서 중심부의 유명한 건물들이나 관광지에 이르기까지 아리샤의 해설과 함께하는 드라이브는 퍽 즐거웠다.

'게임 속 정보로 파악했던 것과는 또 다르니까.'

그건 자신이 처음 전생의 기억을 되찾았을 때도 느꼈던 일이었다. 게임 속의 일러스트나 배경지식으로 알고 있던 것들을 직접 두 발로 뛰어 가며 재발견했을 때의 감동을 지금 펠라티에서도 마찬가지로 느낄 수 있었다.

"와, 드디어 해안이네."
"……로이젠에 있을 땐 보지 못했던 풍경이네요."

얼마나 그렇게 드라이브가 계속되었을까, 그들이 탄 마차가 몇 시간 만에 도심을 벗어나 탁 트인 해안이 보이는 한적한 도로로 나왔다.
어디까지고 펼쳐진 너른 바다에 이제 막 지는 석양이 어우러져 눈부신 주황빛으로 물들어 있었다.

"정말로 어렸을 땐…… 바닷가에서 오빠와 뛰어놀기도 했던가."
"대체 언제 적 얘기야?"
"후훗, 글쎄. 내가 오빠라는 사람에게 완전히 질려 버리기 전까지는, 그래도 제법 어울렸어."
"오우야……."

친오빠에게 해선 안 될 말을 스스럼없이 하며 아리샤가 웃었다. 이 태도는…… 진심으로 자신의 오빠에게 아무런 가치도 부여하지 않고 있기에 가능한 태도였다!
에반은 아리샤의 오빠, 크로우 공자를 동정하는 한편으로 불안감이 치솟았다. 설마 언젠가 그의 귀여운 동생 엘리자베스도 이런 눈으로 자신을 바라보는 때가 오는 것일까? 그때 그의 생각을 읽은 아리샤가 무서운 표정을 지었다.

"에반, 내 오빠와 너 자신을 비교하지 말아 줄래? 그건 이 세상의 섭리에 어긋나는 일이야. 아무리 에반이라도 화낼 거야."
"미, 미안."
"크로우 공자…… 정말 불쌍하군……."

적당한 지점에 이르러 일행이 탄 마차가 멈추었다. 어디까지고 넓게 펼쳐진 백사장을 본 아이들은 본능적으로 환호성을 지르며 뛰쳐나갔다.

"와아아아아아!"
"내 발바닥 찍힌다, 여기 바닥에 봐 봐!"
"디토 발바닥이 제일 크다!"

린과 란이 앞뒤 생각 안 하고 달려 나가고, 폴과 디토가 다급히 둘의 뒤를 쫓았다. 그러나 그들도 결국 아직 어린아이들인지라, 이내 쌍둥이와 뒤섞여 신나게 놀기 시작했다.

린과 란에 대해서는 아직 '단둘의 힘으로 카지노를 터는 무시무시한 아이들'이라는 인식만을 갖고 있던 디오나는 아이들이 보여 주는 순수한 모습에 흐뭇하게 웃었다. 딜러가 되며 스스로 죽여 버린 모성이 살포시 깨어나는 기분이었다.

"해변은 좋네요, 공자님."

"응, 밤마다 몬스터가 튀어나오지만 않는다면 참 좋은 곳인데."

"그렇지, 펠라티 던전 기사단의 주 업무는 해안 경비일 정도니까."

"몬스터!?"

에반이 아무렇지 않게 하는 말에 아리샤가 새삼스럽지도 않다는 투로 긍정했다. 에반은 경악하는 디오나에게 친절히 설명해 주었다.

"저어기, 바다 중앙에 작은 섬 보이지?"

"보입니다."

"실은 저게 해상 던전 펠라티로 들어가는 해상 신전이 위치하고 있는 섬이거든."

"하."

세어든 던전으로 들어가는 대신전도 무척 신비롭지만 바다의 섬에 위치한 해상 신전과는 비교할 수도 없다.

메인 시나리오가 진행되는 세어든과 비교해 특별 스테이지라는 느낌을 주고 싶었던 건지는 몰라도 제작진이 쓸데없이 과장된 설정을 넣은 결과물이었다.

"하지만 저건 어디까지나 마법으로 만든 입구고, 사실 펠라티는 바다와 바로 이어져 있다는 게 정설이라."

"역류 때만 조심하면 되는 세어든과는 달리 펠라티는 수시로 던전 몬스터가 바다로 기어 나와. 그래서 던전 기사단의 수시 순찰이 필수지."

더불어 역류 때는 정말로 바다가 몬스터로 가득 찬다. 펠라티의 모든 던전 탐험가들은 던전 탐험이나 도시에서의 생활, 세금 부분에서 많은 혜택을 받는 대신 역류 때 무조건적인 참여, 지원을 맹세해야만 했다.

"정말 무시무시한 곳이네요……."

"원래 아름다움은 희생을 필요로 하는 법이지. 이 평화로워 보이는 해안에도 무수한 사람의 피가 흘렀으니까."

"……그런데 저 아이들을 저렇게 해안에 내버려 둬도 괜찮으신가요?"

디오나가 눈을 가늘게 뜨며 말했다. 아이들은 그들 외에는 사람이 아무도 없는 해변을 전세라도 낸 것처럼 마음껏 뛰어놀고 있었는데, 어째서 이 아름다운 해변에 사람이 없는 것인지 디오나는 그제야 깨닫고 있었다.

"응? 그야 역류 때도 아니고 어떤 몬스터가 튀어나오든 재네가 다칠 리가 없잖아."

"디오나 당신도 아니고 저 아이들을 걱정할 필욘 없어. 던전 기사단 멤버들이니까."

"글쎄, 그 던전 기사단이 아직 정식으로 발족도 하지 않았다고 들었습니다만……."

디오나가 어처구니가 없어 재차 태클을 넣으려던 그 순간, 그녀의 우려가 현실이 되어 나타났다. 거세게 밀려오는 파도에 거대 조개형 몬스터가 한 마리 섞여 있었던 것이다!

[키하아아아아!]

"와아아아아!"

파도에 올라탄 채 그들에게 빠르게 접근하며 입을 쩍 벌리는 거대 조개! 가장 가까이에 있던 란이 환호하며 자신에게 날아드는 거대 조개를 솜씨 좋게 붙잡았다.

거대 조개는 그대로 입을 다물어 란을 포식…… 입을 다물…… 다물지 못하고 그대로 그녀에게 붙들렸다.

"단장 오빠야, 나 낚싯대도 없는데 낚시했다!"

"잘했어. 그거 주인장이 구워 줄 거니까 그대로 들고 오렴."

"네엡!"

"아무렇지 않게 또 부려 먹으려고 하는구만. 그야 구울 거지만 말이우……."

역시 조개 구이는 싱싱할 때 먹는 게 제맛. 더구나 몬스터를 살아 있을 때 조리하면 건져 낼 수 있는 부분이 더욱 늘어난다는 것은 상식 중의 상식이었다.

"……아니, 공자님, 지금 실시간으로 제 상식이 파괴되고 있습니다만."

"저 녀석들도 던전 기사단 멤버라고 처음부터 설명해 줬잖아?"

"아니, 그렇지만, 그게, 저 아이들이……."

행운이 터무니없이 높은 것은 그래, 타고났으니까 그런 거라고 납득이라도 할 수 있다.

하지만 이제 만 아홉 살짜리 아이가 자기 키보다 더 큰 몬스터를 옴짝달싹도 하지 못하게 붙들고 제압하는 것은 대체 무어라 설명해야 한단 말인가……!?

"이제 좀 알겠어, 디오나?"

아리샤가 어째선지 잘난 듯한 말투로 말했다.

"이게 바로 던전 기사단의 저력이야."
"아…… 정말 새 직장을 잘못 고른 것 같아……."

펠라티 성으로 가면 또 저녁을 먹게 될 터, 그 전에 적당히 간식으로 먹기에는 대형 조개 한 마리로 충분했다.
보통 거대 조개를 잡으면 그 단단한 갑각을 많이들 루팅하려고 하지만, 거기서 아무런 망설임 없이 조갯살과 관자를 선택하는 것이 바로 에반이었다.

"좋아, 시작해 볼까!"
"나는 준비됐수!"

우선 벨루아와 엘로아의 얼음 마법, 거기에 아리샤의 바람 마법을 조화시켜 조개가 여태껏 머금고 있던 모래를 모조리 토해 내게 한 후,
아직까지 살아서 발악을 하고 있는 조개의 껍질을 란이 단단

히 붙들고 있는 사이 주인장이 조제한 혼신의 소스를 바르고,

살아 있는 조개를 껍질째로 거대한 불판 위에 구워,

몬스터의 숨이 끊어지는 그 순간을 노려 절묘한 커팅으로 살점을 루팅하는 것으로 싱싱한 조개 몬스터 구이가 완성되었다.

"와아, 안에서 엄청 커다란 진주 나왔어!"

"……이 녀석들, 행운을 자각하고 나니까 갑자기 엄청 폭주하는 것 같은데."

에반 일행은 여태껏 도전한 적 없는 영역에 과감하게 도전해 성공시킨 주인장에게 박수갈채를 보내며 사이좋게 조개 구이를 나눠 먹었다.

디오나는 그 과정 내내 현실을 이해하지 못하겠다는 표정을 짓고 있었지만, 에반이 친절히 잘라 준 조개 구이를 먹고는 생각을 고쳤다. 너무나 맛있었던 것이다.

'역시 내가 새 직장은 참 잘 고른 것 같아.'

그렇게 한껏 펠라티를 즐긴 후 일행은 마차에 타고 펠라티 성으로 향했다.

성에서 만난 가족들이 에반의 하녀로서 시중을 들고 있는 바니걸의 모습을 보며 새로운 오해를 하고 또 떠들썩한 난리

를 피웠지만—특히 엘리자베스의 난동은 무척 심했다—, 언제나 있는 일이기에 에반은 별 신경을 쓰지 않았다.

❋❋❋

"그러면 셰어든 던전에서 20층까지 클리어하든 30층까지 클리어하든, 펠라티에 오면 다시 1층부터 탐험해야 한다는 이야기인가요?"

"응, 게다가 당연하지만 레벨은 오르지 않아. 다른 던전에서 내가 도달했던 층에 이르기 전까지는 말이야."

아침, 에반은 자신의 일행을 불러 모아 펠라티 던전, 정확히는 셰어든 던전과 다른 초대형 던전에 대한 설명을 해 주고 있었다.

"그렇다면 한 번 셰어든에 발을 붙인 탐험가가 다른 던전 도시로 떠나지 못하는 것도 납득이 가네요."

"그렇지. 아무리 던전 레벨이 높다고 해도 새로운 환경, 새로운 몬스터, 새로운 함정으로 가득한 초대형 던전을 별 보상도 없이 1층부터 다시 기어오르는 건 빡센 일이니까."

"음, 던전 도시에 정착한 탐험가가 다른 던전 도시로 이동하는 일은 그래서 거의 없어. 더구나 던전마다 지니고 있는 특성이 다르니만큼 더더욱."

그들과 아침의 티타임을 함께하고 있던 엘로아가 에반의 설명을 뒤에서 보충해 주었다. 여태껏 가만히 있던 벨루아가 처음으로 고개를 갸웃했다.

"그러나 저는 셰어든 던전에서도 다양한 몬스터와 맞섰던 것으로 기억합니다, 도련님."

"물론 그랬지. 하지만 루아, 세 던전 도시에서 나타나는 몬스터들 사이에는 뚜렷이 구분되는 특징이 있어. 흔히 카테고리라고 하지? 셰어든 던전은 그중 가장 보편적이고 광범위한 '지상' 카테고리에 속해."

고블린이나 오크, 오우거와 같은 인간형 몬스터, 나아가 다양한 동물형 몬스터와 지형 몬스터까지 흔히 판타지에서 몬스터라는 말에 떠올릴 수 있는 그러한 몬스터들.

당연하지만 셋 중에서 하필이면 셰어든이 그런 카테고리에 속하는 것은, 요마대전 시리즈의 시나리오가 진행되는 주요 지역이 바로 셰어든이기 때문이다.

그리고 요마대전 3의 시나리오가 후반부를 향해 달려가며 거기에 등장하는 몬스터 유형에 한 가지가 더 추가되는데, 그것이 바로 마족이다. 과연 주인공이 활약하는 던전다운 설정이라고 할 수 있었다.

"반면 펠라티는 조금 달라. 물론 셰어든과 공유하는 몬스터도 있지만 주로 등장하는 몬스터는 머맨과 머메이드, 리자드맨, 킬 샤크와 같은 해양 몬스터지. 그리고 30층 이상의 심층에서부터는 공중 몬스터도 많이 나타나."

"공중 몬스터라니……."

그래서 펠라티는 원거리 공격수, 즉 궁수나 마법사와 같은 이들이 파티에 필수적으로 포함되어야 한다. 더욱이 필드 전체가 물로 채워져 있는 환경도 있기 때문에, 수중 전용 장비와 마도구도 필요해진다.

"재밌겠다!"

"응, 바로 그곳에 지금부터 우리가 들어갈 거야."

"그럴 줄은 알고 있었는데 역시나!?"

에반은 일행의 반응에 씩 웃으며 해설했다.

"물론 셰어든을 이미 심층까지 탐험한 만큼 여기서 레벨을 올리는 건 무리겠지. 그렇다고 던전에 숨겨진 보물들을 가져가지 못하는 건 아니니까. 핵심만 딱딱 짚고 가자고."

"혹시나 했지만 셰어든뿐만 아니라 펠라티에 대해서도 파악하고 계신 거로군요……."

물론 요마대전 시리즈에서 펠라티는 그리 조명을 받지 못하지만 그것도 어디까지나 본편의 이야기. DLC를 결제하면 펠라티 던전도 제법 깊이 탐험할 수 있게 되는 것이다! 그리고 에반에게는 그 당시의 기억과 자료들이 생생하게 남아 있었다.

"에반 너는 진짜……."

펠라티에 와서까지 평소와 같은 모습을 유지하는 에반을 보며 기가 질린 표정을 짓는 아리샤였으나, 그녀도 이내 픽 웃으며 어깨를 늘어트리고 말았다.

"말해 두지만 에반, 펠라티에 오면 대접해 주겠다는 건 던전을 통째로 들어 바치겠다는 말은 아니었으니까."
"응, 그건 따로 기대하고 있는데?"
"그러면 됐어, 그러면."

에반은 일행에게 던전에 들어갈 준비를 시켰다. 물론 이번 여행에는 끼어들었지만 비전투 요원으로 분류되는 오르타와 주인장은 예외. 다인도 호위 기사이기는 하나 던전에 함께 들어가지는 않으니 마찬가지로 예외.

"그럼 디오나는 어쩔래?"
"어…… 혹시 저도 던전에 들어가야 하나요?"

“디오나가 들어가고 싶으면 껴 줄 수는 있는데. 디오나도 나름 강하지 않아?”

“그야 저도 카지노 딜러치고는 제법 잘 싸운다는 자부심은 있지만…… 괜찮습니다, 공자님. 던전에 관심이 있긴 하지만 이번에는 사양해 둘게요.”

에반과 벨루아와 아리샤, 폴, 디토, 린, 란까지 일곱 명이 있으니 한 명 자리가 비긴 하지만 디오나는 정중히 에반의 제안을 거절했다.

“어차피 전 앞으로 셰어든에서 살게 될 테니, 던전에 도전한다면 셰어든에 도전하는 게 나을 것 같아서요.”

“그래, 잘 생각했어. 앞으로 다가올 험난한 세상에서는 하녀라고 해도 일정 이상의 무력을 갖추고 있는 게 생존에 유리하니까.”

“에반 공자님은 혹시 저와는 다른 세상을 살아가고 계신 건가요……?”

디오나는 에반의 천연덕스러운 말에 식은땀을 흘렸다. 역시 그와 함께 던전에 들어가지 않기로 한 것은 현명한 선택이었다는 생각에 내심 안도의 한숨을 내쉬는데 양옆에서 린과 란이 달라붙으며 칭얼거렸다.

"왕가슴 언니랑도 같이 던전에서 놀고 싶었는데!"
"히잉, 같이 들어가자아!"
"미안, 언니랑은 나중에 같이 놀자."

린과 란을 다독여 주던 디오나의 입가에 억지웃음이 지어졌다.
사실 그녀는 어제 거대 조개 몬스터를 한 손으로 제압하는 란의 모습을 보며 저 꼬맹이들과 무력으로 비교되기는 죽어도 싫다는 생각을 하고 있었다! 그러니 아마 앞으로도 이 아이들과 함께 던전에 들어가는 일은 없으리라!

"다인, 그럼 오늘 하루 동안만 펠라티 던전에 다녀올 테니까 그동안은 디오나를 지켜 줘."
"도련님, 요즘 저를 호위 기사가 아닌 대인 보호 마법이나 배리어 같은 것으로 여기고 계시지 않습니까?"
"어라, 들켰어?"

다인은 에반의 명령에 한숨을 쉬면서도 순순히 명을 받들었다.
에반을 곁에서 지키지 못하는 것은 불만이지만 던전에 들어간다니 어쩔 수 없을뿐더러, 사실 디오나를 밀착 경호하는 일은 거의 포상이나 다름없는 일이었다. 그 이유는 자세히 말할 수 없지만 아무튼.

“큼, 그렇게 됐으니 오늘은 내가 너를 호위하겠다.”
“아…… 네, 잘 부탁드려요, 다인 경.”

에반은 다인과 디오나가 대화를 나누는 모습을 보곤 여성진을 돌아보며 ‘어때? 가망 있어 보여?’ 하고 눈으로 물었지만 벨루아와 아리샤는 일제히 고개를 좌우로 흔들었다. 그러나 에반은 포기하지 않았다.

“다인, 디오나도 안에만 있으면 심심할 테니까 여기저기 데리고 다녀.”
“알겠습니다.”
“아, 그러면 오늘은 공자님 드릴 선물이라도 보고 다닐까요.”

에반은 그 회화의 끝에 다시 여성진을 돌아보며 시선으로…… 제대로 묻기도 전에 벨루아와 아리샤는 물론 그것을 지켜보고 있던 엘로아까지 고개를 절레절레 흔들었다. 정말이지 이유를 알 수가 없었다.

“그러면, 단장님.”
“왜 그래, 폴?”

얘기를 마친 에반이 자리를 정리하고 일어서려는데, 여태까지 가만히 이야기를 듣고 있던 폴이 조심스레 손을 들며 질문했다.

“셰어든 던전이 지상 카테고리, 펠라티 던전이 해상과 공중 카테고리라면…… 메르딘 던전은 어떤 카테고리인가요?”
“역시 우등생은 다르네.”

에반은 호기심으로 가득한 폴의 눈동자를 보고 피식 웃었다. 사실 메르딘 던전은 게임 속에서도 직접 플레이할 수는 없는 환경이었기에 에반도 자세히 알고 있지 못했지만, 어떤 카테고리에 속해 있는지는 알고 있었다.

“메르딘 던전은 셰어든과 펠라티를 반전시켰다고 보면 돼. 셰어든과 펠라티에는 있는 것이, 메르딘에는 없지.”
“셰어든과 펠라티에 있는 것……?”
“삶.”

에반은 어깨를 으쓱이며 말했다.

“메르딘 던전은 언데드가 나오는 던전이야.”

펠라티 던전은 해상 신전을 통해 진입할 수 있다. 해상 신

전이 바다 위에 떠 있다 보니, 아무리 도시와 가깝다고는 해도 거기까지 배를 타고 나아가야 했다. 그래서 펠라티에는 해상 신전과 해안을 오가는 작은 배가 수십 개는 있었다.

"하지만 우리 마차는 수륙양용이지."

명색이 마차인데 말도 없이 자동으로 움직이는 시점에서 이미 정상은 아니었지만 심지어 물 위까지 달릴 수 있다니! 결국 디오나 대신 파티에 합류한 엘로아가 물 위를 내달리는 마차 내부를 더듬으며 감탄했다.

"대체 이런 희귀한 아티팩트를 어디에서……."
"천둥새 길드가 50층에서 얻은 희귀 보상을 징수했어요. 일반인이 다루기엔 너무 위험한 물건…… 이라는 명목으로."
"……나라면 그것만으로 셰어든 가문을 증오하게 될 자신이 있어."

심지어 이 고스트 왜건은 쓰면 쓸수록 성능이 증가하는 것 같은 기분마저 들었다. 마차 주제에 성장형 아티팩트라도 되는 것일까! 하지만 인게임으로는 보지 못했던 아티팩트인지라 확인할 방도가 없다!

"도착."

"시선 엄청 꽂히네."

모두 조각배를 타고 노를 저어 오는 와중에 해안에서 출발한 마차를 타고 그대로 풀 스피트로 내달려 섬에 상륙했으니 시선이 쏠릴 수밖에 없다.

심지어 마차 안에서 등장한 멤버의 면면이 워낙 대단했기에 점점 더 많은 사람의 시선이 꽂히는 가운데, 마차를 인벤토리 포켓에 회수한 에반은 그 모두를 깔끔하게 무시하며 일행과 함께 해상 신전 안으로 진입했다.

"엇, 아리샤 아가씨!?"

"정말 눈부시도록 아름답게 성장하셨습니다!"

"아가씨! 펠라티로 돌아오셨다는 얘기는 들었습니다만 어째서 던전으로……?"

해상 신전은 펠라티의 던전 기사단에 의해 철통같이 수호되고 있었다.

에반이 만든 셰어든의 던전 기사단이 소수 정예로 구성되어 긴급사태에 신속히 대응하는 것을 목표로 한다면, 펠라티의 던전 기사단은 소규모 군대에 준하는 병력을 육성하여 던전과 관련된 모든 일을 관리 감독하는 느낌이 강했다.

"응, 내 약혼자가 보고 싶다고 해서."

"그러면 여기 이분이 에반 디 셰어든 공자님이시군요."
"펠라티의 아이돌이었던 아리샤 아가씨의 마음을 훔쳐 간 남자가…… 흐음……."
"아리샤 아가씨를 우리에게서 빼앗아 간 놈이 왔다고?"

……분명 펠라티 던전을 관리 감독하는 사람들의 집단인 것으로 알고 있었는데, 실은 그게 아니라 단순히 아리샤의 개인 팬클럽이었던 것일까?
에반은 신전 내부 경비를 서고 있던 기사 전원으로부터 자신에게로 날아드는 날카로운 시선에 고개를 갸웃했다. 아리샤가 한숨을 내쉬며 말했다.

"신경 쓸 필요 없어, 에반. 매일 바라볼 대상이라곤 해안선밖에 없어 정신이 나간 작자들이 멋대로 어린 시절의 날 우상화했을 뿐이니까."
"해안선하고 연애라니, 밀당 장난 아니겠네."

에반은 아리샤의 말에 맞춰 주면서도 제법 심한 말이라고 생각했지만 기사들은 오랜만에 듣는 아가씨의 독설이라며 기뻐하고 있었다. 아리샤의 말마따나 제정신은 아닌 것 같았다.

"아, 뮤톤?"
"넵, 아가씨! 이름을 기억해 주시니 영광입니다!"

펠라티 던전 기사단의 일그러진 애정에 에반이 질려 하는 와중, 아리샤는 탐험가의 던전 출입 기록을 관리하는 기사를 불렀다. 거구의 기사였다.

"우리 출입 기록은 남기지 말아 줘. 나중에 귀찮아질 테니까."

"아가씨의 명이라면 물론 그렇게 해야겠지만…… 그래도 정말 문제가 없겠습니까?"

"응, 부탁해. 아버지한테는 내가 따로 말할게."

"옙!"

음, 역시 아리샤의 개인 팬클럽이 맞는 것 같았다. 에반은 납득하여 고개를 끄덕였다. 다만 그와는 별개로 아리샤의 조치가 매우 적절한 것 또한 사실이었다.

"어차피 레벨업도 안 할 거니까 핵심 지역만 훑고 넘어갈 거지, 에반?"

"응, 다만 그렇다고는 해도 도달 계층의 기록이 남으면 좀…… 많이들 놀랄 테니까."

"셰어든 2공자가 대단한 능력을 지녔다는 건 알고 있지만 던전 탐험은 그것과는 별개의 문제인 것이……?"

에반과 아리샤가 나누는 대화를 듣던 기사들이 고개를 갸웃했지만, 그들은 그 의문에는 굳이 답해 주지 않고 펠라티 던전으로 입장하는 마법진 위에 몸을 기댈 뿐이었다.

그리고…… 그들이 나누었던 말을 증명하기라도 하듯 그로부터 2시간 후, 일행은 펠라티 던전 13층 수중 지역을 탐험하고 있었다. 정확히는, 수영하고 있었다.

"와아아아아아아! 신난다아아아아아!"

"얘들아, 너무 멀리까지 가면 어그로 튀니까 조심하렴."

"네에에에에!"

위도 아래도 물, 사방이 물. 방의 구분도 따로 없고, 필드와 비슷한 던전 환경에서 탐험가들은 굉장히 험난한 탐험을 요구받는다. 단…….

"어때, 에반. 쓸 만하지?"

"쓸 만한 정도가 아닌데……. 펠라티에서 어째서 바람 마법을 중요시하는지 알겠어."

에반이 자신의 신체 표면을 뒤덮는 바람의 막을 매만지며 감탄했다. 그것은 움직임에는 지장을 주지 않으면서 물속에서 자유롭게 호흡할 수 있게 해 주는 중급 속성의 바람 마법이었다.

그렇다. 이 지역에서는 중급 속성의 바람 마법을 다루는 마도사가 파티에 있느냐 없느냐에 따라 던전 공략의 난이도가 터무니없이 달라지는 것이다!

“후훗, 네가 준 귀걸이 덕에 보다 완숙하게 만들어 낼 수 있었어.”

“그렇게 말해 주니 체면이 사네.”

“그렇지만 에반, 내가 바람 마법을 깊게 수련할 수 있었던 것도 생각해 보면 너와…….”

“도련님, 전방의 적을 정리하겠습니다.”

“도울게, 벨루아.”

그러나 활약할 무대를 찾은 아리샤가 에반과 살짝 좋은 분위기를 만들려던 찰나, 벨루아와 엘로아가 전방으로 나서며 사방에 가득한 해수를 순식간에 얼려 필드에 있던 모든 몬스터를 쓸어버리는 것으로 훈훈했던 분위기까지 깔끔하게 얼려 버렸다.

“자, 13층에 숨겨져 있다는 요소는 어떤 거지? 어서 진행하지, 에반 공자.”

“수행하겠습니다, 도련님.”

“너희…….”

아리샤는 당장이라도 둘의 몸을 감싸고 있는 바람의 막을 제거해 버리고 싶다는 충동에 휩싸였으나, 옆에 에반이 있기에 그 충동을 필사적으로 참아 냈다.

그로부터 여덟 시간 동안을 더 진행한 끝에, 일행은 끝내 35층에 숨겨져 있는 레어드롭을 짊어지고 복귀할 수 있었다. 물론 로맨스는 개뿔도 없었다.

❋❋❋

"날이 밝자마자 던전에 다녀왔다지? 펠라티 던전은 어땠니, 에반. 어두컴컴한 공동과 좁아터진 복도밖에 없는 셰어든 던전에 비하면 훨씬 즐겁지 않던?"

그날 저녁 만찬 자리. 에반은 멜토 백작의 간절한 청을 이기지 못해 그의 바로 맞은편에 앉게 되었는데, 그 옆에는 당연하다는 듯이 아리샤가 앉아 있었다. 익히 각오하고 있던 대로였다.

"확실히 눈은 즐거웠어요. 하지만 거기에 정신이 팔려 있다간 금방 목숨을 잃겠던데요. 던전이 넓다 보니 경계도 철저히 해야 할뿐더러 이동하는 데만도 기운이 빠져요. 역시 던전은 던전다운 환경이어야죠."

"허허, 이런 환경이기에 우리 펠라티의 던전 탐험가들은 언제 어느 상황에서도 방심하지 않고 대처할 수 있는 능력을 기를 수 있지!"

그리고 그런 능력을 갖추지 못했거나 일찍이 개화시키지 못한 자들은 모두 죽는다. 물론 사망률이 높은 거야 셰어든 던전도 마찬가지였으니 에반도 굳이 거기에 태클을 걸 생각은 없었다. 단…….

"던전 환경이 너무 특수해요. 펠라티 던전에서 기른 대처 능력을 지상에서 활용하기가 힘들겠다는 생각이 들었어요."

"확실히 그렇지. 그래서 펠라티 던전에서 힘을 기른 탐험가들은 던전 밖에서도 해양 몬스터들과 싸우는 일이 많아. 하지만 그렇다고 얕보면 안 된단다. 넓은 바닷속에 도사리고 있는 몬스터의 위험에 대처하는 것도 지상 몬스터를 상대하는 것만큼이나 중요하니까."

"그건 물론이죠. 펠라티가 인류에 얼마나 큰 기여를 하고 있는지는 입 아프게 말할 것도 없어요."

에반과 멜토의 대화가 이어질수록 각자의 옆에 앉은 아리샤와 백작 부인의 얼굴에는 웃음꽃이 피어났다. 그 촌극을 옆에서 지켜보던 펠라티 대공자 크로우가 포크를 입에 물며 하, 코웃음을 쳤다.

"넌 완전히 부드러운 솜사탕이 되어서 돌아왔구나, 아리샤. 예전의 넌 날카롭게 벼린 레이피어 같았는데."

"하?"

아리샤가 크로우를 돌아보며 고개를 갸웃했다. 순식간에 그녀의 얼굴에 어리는 섬뜩한 박력에 크로우는 그만 포크를 있는 힘껏 깨물어 버리고 말았다!

"단지 날카롭게 대할 상대를 구분하게 된 것뿐이야. 지금처럼."

"아, 아으아……."

크로우는 그렇게 본전도 못 건지고 침몰했다. 멜토와 얘기를 나누던 도중 둘의 대화를 캐치한 에반은 다시 한 번 자신의 여동생만은 아리샤처럼 자라나지 않기를 바랐다.

아니, 물론 아리샤도 에반에게는 잘 대해 주게 되었지만! 그렇지만!

"크흠, 그러고 보면 크로우 공자도 던전에 들어가게 되었다고 들었는데?"

아리샤가 만들어 낸 싸늘한 분위기를 어떻게든 해 보려 이번엔 소라인 후작이 입을 열었다. 백작 부인이 그 말을 받았다.

"바로 얼마 전에 기사들과 함께 던전 10층을 무사히 공략해 11레벨이 되었답니다."

"허허, 정말 대단하구만그래!"

소라인 후작이 그 말에 자연스럽게 감탄해 주었다. 에반은 그 말을 듣는 순간 테이블에 함께 앉아 있는 던전 기사단원들에게 예리한 시선을 주었다.

아무 말도 하지 마라! 크로우 공자의 던전 도달 계층에 대해 그 누구도 아무런 말도 하지 마라! 너희가 도달한 계층과 비교하지도 마라!

"어휴, 그래도 에반 공자한테는 한참 못 미치지요. 올봄에 일어난 역류를 진압하는 데 큰 역할을 했다고 들었답니다."

"우리 에반이 나이에 비해 뛰어나긴 하지요. 그래도 크로우 공자 역시 참으로 대단합니다. 하하하."

에반의 혼신의 제스처 덕에 던전 기사단원들은 모두 약속이나 한 것처럼 입을 다물었다. 그 순간의 기묘한 정적을 눈치채지 못한 백작 부인만이 순수하게 웃고, 후작이 스무스하게 상황을 받아넘겼다.

"그래그래, 에반이 던전 역류를 막는 데 공을 세웠다는 얘기를 듣고 나도 깜짝 놀랐었어. 하지만 우리 아리샤를 데려가려면 그 정도 능력은 갖고 있어야지! 암!"

"아, 아니라니까. 약혼자라는 건 에반과 내가 번거로워지는 걸 막기 위한 위장이라고 말했잖아? 물론 미래는 어떻게 될지 아무도 모르지만……."

바로 방금 크로우를 싸늘하게 노려봤던 아리샤가 순식간에 솜사탕 같은 표정으로 돌아오며 멜토 백작의 말에 손사래를 쳤다.

어른들은 흐뭇해하고, 에반은 혹시 아리샤가 자신도 인식하지 못할 만큼 빠른 속도로 가면이라도 뒤집어썼나 의심했다. 그럴 리가, 이 세상에는 변검 기술이 없을 텐데!

"아, 아저씨, 드려야 하는 말씀이 있었는데."

"그냥 장인어른이라고 불러도 되는데."

"아저씨, 오늘 던전에서 운이 좋아 숨겨져 있던 보상을 조금 얻었거든요. 내일 오전 중으로 전리품 목록을 정리해 정식으로 제출할게요."

셰어든 던전은 셰어든 후작가의 것이니 그 던전에서 얻은 것은 물론 보고할 필요도 없이 바로 에반이 가지면 된다. 하지만 펠라티 던전은 얘기가 달랐다.

물론 펠라티의 성을 지닌 아리샤가 함께하고는 있었지만 그녀도 지금은 엄연히 셰어든의 던전 기사단에 소속된 외인. 던전의 출입에 편의를 봐주기는 했지만 던전에서 얻은 것들을 감추는 행위는 엄연히 범죄였다.

"아니, 그럴 필요 없다."

백작은 에반의 말에 천천히 고개를 저었다.

"그렇게 딱딱하게 구분할 필요가 없어. 우리 아리샤를 맡아 준 것만으로 내가 너에게 큰 은혜를 입은 셈인데 어찌 그런 것까지 요구하겠니. 그 말만으로 충분하다."

"그래도……."

"어허, 괜찮대두."

에반이 그럴 수는 없다며 채 말을 하기도 전에 백작이 손사래를 쳤다. 에반이 펠라티 던전에서 정확히 어떤 것들을 얻어 나왔는지 백작이 알게 된다면 감히 그런 반응은 할 수 없겠지만 지금은 모르는 것이 약이었다.

"정 그러시면 오늘 얻은 보물들을 조금 선별해서 드릴게요. 그냥 조카가 드리는 선물이라 생각하시고 편하게 받아 주세요."

"흐허, 우리 사위가 벌써부터 이렇게 장인을 챙기는구만."

"'조카'라고 생각하고 받아 주세요."

당연하지만 에반도 모든 전리품을 순순히 보고할 생각은 없었다. 순조로이 백작에게서 자신이 원하는 반응을 끌어낸 그는 적당한 것들을 미리 덜어 넣어 둔 상자를, 마치 지금 준비하는 것처럼 꺼내어 백작에게 전달했다.

그러나 그것만으로도 백작을 놀라게 만들기에는 충분했다.

"……대체 오늘 하루 동안 뭘 어떻게 했으면?"
"운이 좋았어요."

에반은 그렇게 말하며 싱긋 웃었다. 질문을 허용하지 않는 박력 어린 표정에 백작은 그저 하하, 애매한 미소를 지을 뿐이었다. 그때였다.

"에반 공자!"

크로우가 용감하게 입을 열어 말했다.

"식사가 끝나면 공자와 대련을 하고 싶습니다만!"
"좋아요."
"이제 와서 구차하게 벨루아 양을 걸고 싸우자는 건 아닙…… 응? 좋다고?"
"네."

그렇게나 자신과의 대련을 거부하던 에반이 아무렇지도 않게 고개를 끄덕이자 준비해 둔 대사를 모두 내뱉지도 못하고 얼떨떨해하는 크로우. 한편 멜토 백작은 '누구를 걸었다고?' 하며 눈을 가늘게 떴다.

"크로우, 혹시 내가 모르게 에반에게 민폐를 끼친 적이 있는 거냐?"

"어, 어렸을 때의 일입니다!"

"에반, 이 바보 놈이 무슨 일을 했는지 말해 보거라. 이거 오랜만에 매를 들어야 할 것 같은데……."

"아버지! 진짜 어렸을 때 한 실수라니까요!"

음, 역시 바보는 어쩔 수가 없구나. 에반은 쩔쩔매며 백작에게 변명을 늘어놓는 크로우의 모습에 그만 한숨을 내쉬고 말았다. 사정을 알고 있는 후작은 그저 빙긋 웃을 따름이었다.

식사 후, 에반은 약속대로 크로우와 대련을 했다.

동생인 아리샤와는 달리 물의 마도를 익힌 크로우는 특이하게 창 중에서도 날이 포크처럼 갈라져 뻗은 삼지창, 트라이던트의 적성을 지니고 있었는데, 솔직히 무척 노려서 만든 캐릭터 같다는 생각을 지울 수가 없었다.

'바다의 던전을 관리하는 영주의 아들이라고 물 속성에 삼지창이라니, 이 녀석도 제작진의 안일한 고정관념에 희생되었을 뿐이야…….'

에반이 자신을 어째서 안쓰러운 눈으로 바라보는지는 알

까닭이 없이, 크로우는 단단히 각오한 표정으로 에반을 향해 창을 겨누었다.

"에반 공자가 얼마나 강해졌는지는 잘 알고 있습니다. 하지만 저도 그동안 죽어라 노력했으니 그때처럼 한심하게 뻗지는 않을 겁니다."

"훌륭한 기세네요. 크로우 공자의 능력은 저도 물론 잘 알고 있습니다."

크로우는 비록 스토리상 비중은 별로 없다지만 요마대전 3은 물론 4에서도 가끔씩 얼굴을 비추는 중요 조연 중 한 명이다.

더구나 던전 도시 펠라티의 정통 후계자이기도 한 만큼 완전히 개화한 능력은 감탄이 나오도록 강하다. 구체적으로는 셰어든의 후계자인 에릭에게 조금 못 미치는 수준. 그것만 해도 대단하다.

"오늘도 주먹으로 할 생각입니까? 다칠지도 모릅니다만."

"아뇨, 오늘은 저도 날을 쓰죠."

에반은 크로우의 도발적인 말에 빙긋 웃으며 답하곤 손날을 세웠다. 그런데 그것을 도발이라 생각한 크로우가 단단히 열받는 순간, 에반의 손날 위로 검보랏빛의 기운이 솟아나 순식간에 훌륭한 검의 형태를 갖추었다.

날의 길이는 대략 80센티미터, 훌륭하게 균형이 잡힌 브로드 소드의 형태. 크로우는 물론이고 대결을 보러 모여든 대다수의 사람들이 그것을 보고 입을 쩍 벌렸다.

"오, 오러!"
"오러다!"
"에반 공자가 오러를 다룬다고!? 그 나이에!"

또 새로운 오해가 퍼지기 시작하고 있었다. 에반은 지금이라도 달아날지 말지 고민을 하고 있는 크로우에게 쓴웃음과 함께 해명했다.

"오러가 아니고 그냥 마력의 칼날을 만들어 내는 스킬이에요. 실제 오러와 맞부딪치면 금방 깨져 버릴걸요."

물론 그건 에반이 처음 익힌 시점의 스킨 블레이드나 그렇고, 던전에서 신들의 축복을 받아 헤븐 블레이드로 진화한 지금은 천중의 기운을 담은 마력의 칼날을 만들어 낼 수 있게 되어 어지간한 오러와 충돌해도 밀리는 일은 없겠지만 에반은 그것까지는 굳이 말하지 않기로 했다.

"그럼 시작할까요?"
"크…… 알겠습니다. 시작합시다!"

크로우가 울상을 지으며 외친 순간, 심판 역을 맡은 소라인 후작이 팔을 들어 올렸다. 크로우의 주위로 단단한 물의 구체가 수십 개 생성되더니 일제히 에반을 향해 날아들었다! 과연 펠라티의 대공자다운 마도!

"흡!"

그러나 그 전부가 에반이 가볍게 내지른 기합에 전부 소멸했다. 물론 천중의 힘이 담긴 기합이었다. 크로우가 사색이 되어 외쳤다.

"기권! 기권하겠습니다!"
"창이라도 한번 제대로 휘두르고 기권해라!"

크로우의 기권 신청을 멜토 백작이 단호히 기각한 직후 둘의 충돌이 이루어졌다. 에반이 내지른 헤븐 블레이드와 삼지창이 끔찍한 굉음을 내며 부딪친 바로 그 순간, 크로우가 각혈하며 뒤로 튕겨 나갔다.

"앗……."
"어디서 본 기억이 있는 광경인걸……."

몇 년 전 에반과 크로우의 대련을 관람했던 적이 있는 이들

전원이 숙연한 표정을 지었다. 그러나 이번엔 그때와는 결말이 달랐다!

"크, 허……."

저 멀리 나가떨어진 크로우가 몸을 부르르 떨면서도 간신히 일어서고 있었다. 입술을 짓씹으면서도, 이번엔 아까와 달리 기권을 부르짖지 않았다. 한 대 맞고 제대로 정신을 차린 모양이었다.

"다시, 합시다……!"
"좋아요."

남자는 좌절을 딛고 성장하는 법이라 했던가. 에반은 두 눈에 불꽃을 불태우며 자세를 바로잡는 크로우의 모습에 흡족한 표정을 지었다. 물론 상당히 살살 휘두른 것이긴 했지만 그래도 이 정도나마 따라오는 게 어딘가!

"크로우 녀석, 저런 표정도 지을 줄 아는구만. 애비인 나도 모르던 표정인데, 조금 섭섭해."
"펠라티를 짊어질 아이가 아닌가. 마냥 어린아이로만 있을 수는 없는 게야, 멜토."
"흐아아아아아압!"

멜토 백작과 소라인 후작이 아련한 투로 얘기를 나누는 가운데 크로우가 재차 기합을 지르며 에반에게 덤벼들었다.

"벨루아 양, 제 성장한 모습을 보여 드리겠습니다아아우게엑!"
"그 말만 안 했어도 더 멋져 보였을 텐데 말이지."
"켁, 크헉……."

그 말을 듣는 순간 에반이 원래 생각했던 것보다 주먹에 살짝 힘을 더 주는 바람에, 크로우는 살짝 사경을 넘나드는 신세가 되었다.
그리고 그다음 날. 이불 밖으로 나오기 싫어하는 크로우를 붙잡고 에반은 삼지창술의 기초 수련법을 가르쳐 주었다.
특수한 적성 중의 하나인 만큼 외부로 퍼져도 별 지장이 없기도 했고, 명색이 펠라티의 후계자인 크로우가 너무 약하게 자라나는 것도 마음에 들지 않았기 때문.
그에게 '꼼수'를 정식으로 전수받은 크로우는 언젠가 반드시 에반을 대련으로 꺾고 벨루아에게 인정을 받겠다며 두 주먹을 불끈 쥐고 있었지만, 에반이 다시 헤븐 블레이드를 만들어 내자 조용해졌다. 둘 사이에 절대적인 질서가 성립된 순간이었다.

Chapter 45.
에반 디 셰어든, 달리다

펠라티에서 해야 할 급한 용무를 대부분 해결한 에반 일행은 그날 오찬을 여유롭게 즐기고, 이른 오후 다 같이 해안으로 향했다.

낮에는 몬스터가 나타나지 않기에 저녁에 찾아왔을 때에 비해선 제법 많은 사람들이 물놀이를 즐기고 있었다.

"물론 세상에 절대란 없기 때문에 방심은 금물이지만……."

"하하, 그렇게 따지면 도시 한중간이 아니고서야 언제 어디서든 몬스터가 나타날 위험이 있지 않겠느냐?"

"아, 아저씨. 그야 그렇죠."

에반의 혼잣말에 대꾸한 이는 바로 펠라티 백작 멜토였다. 더욱이 그 바로 옆에는…….

"몬스터가 무서워 대도시 중심부에서만 살다가 비행 몬스터의 똥을 맞고 너무 놀란 나머지 심정지로 사망했다는 사람의 얘기를 들은 적이 있단다. 조심스러운 것도 과하면 손해를 보는 법이지."

"아버지도."

에반 일행보다 며칠 먼저 펠라티에 도착한 후작 일가는 그간 백작과 밀린 공무를 함께 처리했다는 모양으로, 에반이 온 것을 기점으로 일을 마무리 짓고 완전히 휴양 모드에 돌입해 있었다. 백작도 마찬가지인 모양이었다.

"아버지, 수영복 잘 어울리시네요."

"음, 이국의 해변에 와 있자니 젊은 시절이 떠오르는구나. 네 엄마와 처음 만난 것도 바다였단다."

삼각팬티 수영복을 입은 후작이 그렇게 말하며 가볍게 포즈를 취했다. 공무로 바쁜 와중에도 체력 단련을 게을리하지 않는 후작의 몸매는 실로 훌륭했다.

근육이 붙어도 몸이 잘 불어나지 않아 고민인 에반과 달리 후작은 에반을 두 명 정도 가릴 수 있을 만큼 듬직한 어깨의 소유자였는데, 과연 저 정도라면 두 여자 정도는 한꺼번에 지켜 낼 수 있겠구나 하고 절로 고개를 끄덕이게 되었다.

“우리나라의 꼰대…… 크흠, 나이 든 귀족들이 보면 까무러칠 거예요. 계급이 다른 사람들 앞에서 맨몸을 드러내다니.”
“하하, 그래서 펠라티까지 온 것이 아니겠니. 오늘 정도는 계급을 잊고 자유롭게 쉬고 싶구나!”

에반이 눈을 가늘게 뜨며 하는 말에 후작은 더더욱 전문적인 보디빌딩 포즈를 취하며 너털웃음을 터트렸다. 물론 후작에게 그런 말을 하고 있는 에반 본인도 트렁크형 수영복을 입고 있었지만 말이다.
몸에서 부츠를 떼어 놓고 싶지는 않았지만 가장 최근에 로즈로부터 받은 아티팩트인 장미 넝쿨 반지에 유사시 상황에 보호막을 만들어 내는 기능이 있었기에 타협하기로 한 것이다.

“여보!”
“저희 왔어요.”
“오오!”

그때 마침 백작 부인과 함께 1부인 레디네와 2부인 미리엄이 나타났다. 어머니들을 돌아본 에반은 두 눈을 의심했다.
백작 부인은 바닷가에 어울리는 원피스 차림이었지만 미리엄은 몸에 착 달라붙는 원피스 타입 수영복 차림이었고, 레디네에 이르러선 아예 비키니를 입고 있었던 것이다!

"어, 어머니……?"

후작가 1부인의 체통을 생각하라거나, 나이를 생각하라거나…… 떠오르는 말들이 너무나 많았지만 아마 해 봤자 소용없을 것이다.

더구나 비키니를 입고 있는 후작 부인은 도저히 장성한 두 아이를 둔 어머니로는 보이지 않았다. 아니, 그 정도가 아니라 이 해변에 놀러 온 여성 중 누구에게도 지지 않을 미모의 주인이기도 했으니…….

"후후, 엄마도 가끔은 아빠랑 청춘을 즐겨야 하지 않겠니. 그쵸, 여보?"

"물론이지. 레디네는 아직 처음 만났을 때 모습 그대로 젊고 아름다워. ……미리엄, 너도 마찬가지야. 오늘 너를 보니 너와 처음 만났던 엘돈 백작가의 정원이 떠오르는군."

"어머나, 정말요? 당신도 여전히 근사하고 멋져요. 특히 이 탄탄한 대흉근이……."

"네네, 세 분 좋은 시간 되세요."

후작가의 부부 관계는 실로 원만하다! 리즈 아래 동생이 언제 태어나도 이상하지 않을 정도로 말이지!

에반은 셋의 방해가 되지 않도록 미리엄의 손을 붙잡고 있던 엘리자베스를 잽싸게 자신 쪽으로 끌어당겼다. 엘리자베스도 엄마보다는 에반을 잘 따랐기에 순순히 그를 따라왔다.

"에반 오빠, 나 동생 생겨?"
"그럴지도 모르니까 각오는 해 두자꾸나, 리즈. 슬라임 잡을래?"
"응!"

엘리자베스를 대동한 에반은 백작 부부와 후작 부부를 그 자리에 놔둔 채 자리를 떴다. 옷을 갈아입으러 간 다른 일행과 합류할 생각이었는데 불과 수백 미터를 이동하는 동안 여자에게 말을 걸린 횟수만 수십 번이었다.

"안녕? 갑자기 놀랐을지 모르겠는데 아까부터 계속 너를 보다가……."
"어머나, 예쁜 동생이네! 나도 이만한 나이의 동생이 있는데 애들끼리 놀게 하지 않을래? 우리 저쪽에 자리 잡고 있는데!"
"어디서 왔어? 나는 저 멀리 호우미라는 곳에서 왔는데……."

셰어든의 보석은 먼 이국땅에서도 변함없이 반짝이고 있었다. 그를 발견한 여자들 대다수가 적어도 한 번 이상은 눈길을 주었으며, 짝이 없는 여자는 거의 무조건이라도 해도 좋을 만큼 그에게 말을 걸었다.

그리고 짝이 있는 여자들은 짝을 내팽개치고 에반에게 접근해야 할지를 고민했다. 미안하지만 에반은 그런 사람은 더 더욱 질색이었다.

“거기 잠깐만, 여기서 누나랑 한잔만 하고 가면 안 돼? 응?”
“어쩜, 눈이 보석같이 예쁘네……!”
“미안합니다. 일행이 있어서…….”

에반은 그 모든 제안과 권유를 쳐 냈다. 사실 한잔하자는 말에는 조금 끌렸지만 지금 그는 어린 동생을 대동하고 있는 몸. 그런 유혹에는 넘어갈 수 없다! 문제는 개중에는 제법 끈질긴 사람도 있었다는 것이다.

“아이, 그렇게 휙 돌아서지 말고오…….”
“도련님께 사사로이 접근하는 것은 용납할 수 없습니다.”

바로 그때, 함부로 에반의 어깨에 손을 뻗던 여자의 손을 날카롭게 쳐 내며 벨루아가 나타났다.

“읔!? 넌 무…… 힉!”
“주제를 알고 물러가도록.”
“네, 넵!”

욱하며 돌아서던 여자는 벨루아의 싸늘한 눈빛과 마주하곤 기겁하며 뒷걸음질로 도망을 쳤다. 에반은 그 모습에 순간 게임 속 혈안마녀의 모습을 떠올리곤 고개를 붕붕 저었다.

"도련님, 늦어서 죄송합니다."

상황을 깔끔하게 정리한 벨루아가 에반에게 다가오며 고개를 숙였다. 그는 손사래를 쳤다.

"아니, 루아. 우리도 지금 왔어."
"우으, 나쁜 여자가 또 오빠 뺏으러 왔어."

벨루아는 붉은색의 비키니를 입고 허리에는 파레오를 걸치고 있었는데, 그녀의 붉은 눈, 깨끗한 흑발과 어울려 무척이나 아름다웠다.
……거기에 만 13살이라고는 도저히 믿을 수 없는 훌륭한 발육 상태는 덤이었다. 에반은 붉은 천에 감싸인 벨루아의 가슴과 그녀의 잘록한 허리 라인에 시선을 빼앗기지 않게 무던히 애를 써야 했다.

"큿."
"아, 아리샤도 같이 왔구나."
"역시 벨루아도 어떻게 해서든 떼어 놓고 왔어야 했어……!"

벨루아 뒤로 아리샤도 모습을 드러냈다. 그녀는 벨루아와 달리 물에 젖어도 괜찮은 스커트 타입의 수영복을 입고 있었다.

그녀의 파란 눈동자와 어울리는 푸른색 스커트는 원래 날씬한 그녀를 더더욱 가녀리고 청순해 보이게 만들었다. 하얀 백사장과 선명하게 푸른 하늘에 그 이상 어울릴 수가 없었다.

"아리샤, 너도 무척 예뻐."

"너의 그 태연한 반응이 나를 제일 열받게 만드는 거야, 알아?"

"나쁜 여자들이, 리즈의 오빠를 뺏어 가……."

"자아, 리즈, 슬라임 잡자."

벨루아와 아리샤에게 차례로 시선을 빼앗기는 에반의 모습에 단단히 삐진 엘리자베스를 달래는 사이 나머지 일행도 합류했다.

폴과 디토는 에반처럼 트렁크형 수영복이었는데, 한창 성장기에 있는 청소년다운 풋풋한 매력이 있었다. 전위에 속하는 디토는 덩치가 좋은 반면 폴은 전형적인 마법사 타입이다 보니 체격에 차이가 좀 났지만.

"시, 신인단련법은 나도 열심히 하고 있는데……."

"괜찮아, 폴. 원래 아무리 운동을 열심히 해도 타고나는 체형을 이길 수는 없는 거니까."

"그건 괜찮은 게 아니라 포기하는 게 아닌가요, 단장님……?"

사람의 적성을 납득시키는 것은 폴에게는 아직 무리였던 걸까. 에반은 난감하게 웃으며 고개를 돌렸다. 귀여운 원피스 수영복을 입고 있는 린과 란을 대동하고 나타난 엘로아가 그곳에 있었다.

"던전 도시에서의 엘로아를 알고 있는 사람들이 지금 엘로아를 봤더라면 까무러치겠어요."
"흥, 그놈들이 이곳에 있었다면 이렇게 입지는 않았겠지."

엘로아는 상의가 배꼽 위까지를 가리는 하얀 탱크탑 비키니 차림에 얇은 하늘색의 비치 가디건을 걸치고 있었는데, 그 모습이 우아한 성인 여성의 매력을 물씬 드러내고 있었다. 매일 마법사 로브만 입고 다니는 줄 알았는데 의외였다.

"항구도시인 팔만에서 자라났다고 얘기했잖아. 노출에는 그리 민감하지 않아. 노골적인 시선을 던져 오는 놈들의 눈에는 얼음 송곳을 꽂아 주곤 했지만."
"제재 자체는 옳네요. 제재 방식엔 조금 문제가 있는 것 같지만……."
"큿, 만만치 않아……. 그래도 벨루아보다는 작으니……."

"……아리샤, 넌 그렇게 보이는 사람마다 다 붙잡고 사이즈를 비교할 셈인가?"

한편 일행이 모두 수영복으로 갈아입었음에도 여전히 제 복장을 고수하고 있는 이가 있었으니 바로 갑옷을 입고 있는 다인과 해변에서도 바니걸 복장을 벗지 않는 디오나였다.

"명하신 대로 탈의실 수호 임무를 수행하고 왔습니다, 도련님."
"내가 명한 건 그게 아니었을 텐데. 수영복으로 갈아입으라고 했잖아!"
"전 호위 기사이므로 그럴 수 없습니다."
"……그럼 디오나는?"
"이게 제 유니폼이라서."

과연, 그것이 디오나의 직업의식이라는 것인가. 에반은 스탠딩 CG라고는 교복 하나밖에 없어 작중 배경이 여름이든 겨울이든 바닷가든 설산이든 같은 교복 차림으로 나타나는 게임 속 등장인물을 바라보는 심정으로 디오나를 바라보았다.

"에반, 그런 건 놔두고 우리끼리 놀자."
"그런 건!?"

그때 디오나를 질투한 아리샤가 에반을 잡아끌었다. 벨루아보다도 훨씬 도발적인 프로포션을 갖춘 성인 여성에게서 지금은 좌우지간 에반을 떼어 내고 싶었던 것이다!

에반은 쓴웃음을 내쉬면서도 순순히 그녀의 손을 잡았다. 아리샤가 흠칫 굳었다.

"에, 에반."

"가자, 아리샤. 오늘은 너한테 맡길게."

"……그래, 맡겨 둬!"

아리샤가 장담한 대로 그들 일행은 오후 내내 신나게 바다에서 뛰어놀았다.

엘로아와 벨루아가 경쟁하듯 만들어 낸 얼음 배를 타고 바다를 가로지르는 경주가 특히나 재밌었는데, 그 경기의 백미는 역시나 마법을 본격적으로 다루는 이들의 격돌이었다.

"여기서 이기는 쪽이 축제 마지막 날 밤 에반과 함께하는 거야, 벨루아!"

"하, 받아들이겠습니다."

"뭐야, 언제 그런 보상이 걸렸어!?"

에반은 엘로아가 만들어 낸 작은 유빙 위에 앉아 경기를 관람하다 말고 뜬금없이 자신의 얘기가 나와 눈을 부릅떴다.

그러나 아리샤는 그런 에반의 시선을 애써 무시하며 자신의 얼음 보트를 바람 마법으로 강화하는 것은 물론이고 대기의 흐름에 실시간으로 간섭해 폭발적인 속력을 만들어 내 질주했다!

"바람 마법을 구사하시다니 비겁하군요. ……하지만 제게도 생각이 있습니다."

그러나 그런 아리샤의 모습에 벨루아 역시 코웃음을 치며 얼음 배가 나아가는 반대편으로 양손을 뻗었다. 그리고 즉각 마도를 발현했다. 왼손으로는 어마어마한 열기를, 오른손으로는 끔찍한 냉기를!

놀랍게도 지금 그녀는 각각 다른 속성을 지닌 마도를 동시에 다루는 터무니없는 고도의 술수로, 그것도 자신이 다룰 수 있는 한 가장 강력한 마법을 구현해 내고 있었다.

"……뭣!?"

"맙소사, 이전 함께 토론했던 그 마법을 벌써 완성했단 말인가……!?"

그것을 본 에반과 엘로아가 동시에 경악하며 일어섰다. 완벽히 동시의 타이밍에 같은 방향으로 내쏘아진 두 마법이 격렬히 충돌해, 그 결과 탄생하는 것은 터무니없는 세기의 증기……!

그 순간 벨루아가 타고 있던 얼음 배가 무시무시한 기세로 뛰쳐나갔다! 벨루아는 계속해서 양손으로 증기를 분사하며 가속에 가속을 더했다!

"제트 엔진이잖아!?"

"저걸 부르는 말이 따로 있었단 말이야, 에반 공자!?"

그것을 지켜보던 에반이 경악하여 외쳤다. 설마 인간의 몸으로 제트 엔진을 구현해 자신이 원하는 방향으로 분사하다니!

저것은 단순히 불과 얼음을 부딪쳐 증기를 만들어 내는 수준으로는 만들어 낼 수 없는 고도의 마법이었다. 눈에 보이는 것 이상으로 복잡한 계산과 술식이 어우러졌음에 분명했다!

"그런데 그런 대단한 마법을 고작 이런 승부에서 이기기 위해 쓰다니!"

"무슨 그런 말도 안 되으아아아아악!"

벨루아가 만들어 낸 끔찍한 기류의 여파로 앞서 나가던 아리샤가 탄 배가 침몰하고 말았다. 벨루아는 여유롭게 목표 지점을 찍고는, 반대 방향으로 제트 분사를 실시해 순식간에 복귀했다.

간신히 일으켜 세운 아리샤의 배가 다시 한 번 뒤집힌 것은 물론이었다.

“벨루아 너, 너어어어어어……!”
“죄송합니다만, 아리샤 아가씨.”

배를 간신히 수습하고 물에 빠진 생쥐 꼴이 되어 몸을 부들부들 떨며 돌아온 아리샤를 향해 벨루아가 냉정한 목소리로 선언했다.

“언제 어느 상황에서든 양보해 드릴 생각은 없습니다. 이곳이 아가씨의 고향이라고 해도.”
“후, 후후, 후후후후…… 그래, 그래애. 네 생각이 그렇다면, 그렇겠지!”

젖어 있던 아리샤의 머리카락이 거꾸로 치솟았다. 그녀의 몸 주위를 빙글빙글 감돌고 있는 돌개바람. 얼음 배 레이스가 무규칙 마도 배틀로 전환되려 하고 있었다! 에반은 그 둘에게서 애써 시선을 돌렸다.

“……방금 벨루아가 구사한 마법, 마도구 형태로 만들 수 있으면 이 나라의 산업 근간이 뒤바뀌는 거 알아?”
“알지만, 아마 상용화는 힘들겠지. 두 가지 이상의 속성을 복합한 마법을 그냥 구사하는 것과 마법진 형태로 고착시키는 건 또 다른 문제니까."

"그렇겠지. 진짜 다행이다."

에반이 가벼운 현실도피를 겸해 엘로아와 그런 대화를 나누는 사이 그의 품에 안긴 엘리자베스가 오빠를 대신해 그의 장갑, 검은 구름을 착용하고는 슬라임을 잼잼하고 있었다.

에반은 언젠가 므이라슬의 목걸이와 비슷한 능력을 갖춘 것을 찾아 동생에게 선물하자고 마음먹었다. 물론 현실도피였다.

펠라티 던전 축제가 본격적으로 시작된 것은 바로 그다음 날이었다.

던전 도시 펠라티는 뭐니 뭐니 해도 바다와 접하고 있는 것이 가장 큰 특징. 그런 펠라티에서 던전 탐험가의 업을 지고 있는 이들은 대개 바다와 친숙했다. 자연히 행사도 바다와 관련된 것들이 대부분이었다.

"사실 축제를 벌이는 중에 바다에서 몬스터가 나타나기라도 하면 바로 대처할 수 있다는 이유가 가장 크지만."

"에반은 그렇게 늘 가차 없이 현실을 드러내 버리니까 눈총을 받는 거야. 맞는 말이지만."

도시 내부라고 행사가 없는 것은 아니지만, 아무래도 해안으로 올수록 사람들의 옷차림은 가벼워지고 반대로 환성은 높아졌다. 내륙과 면하는 성벽을 경계하는 기사들만 불쌍한 일이었다.

"매점이 엄청 많네! 게다가 전부 해산물이야."

"그야 펠라티에선 해산물이 가장 맛있으니까. 주인장이 펠라티에 꼬치구이점 분점을 열면서 몬스터 고기에 대한 인식이 많이 좋아진 덕에, 요즘은 펠라티에서도 자체적으로 몬스터 요리 자격증을 따 가게를 여는 사람들이 많아지기도 했고."

"적어도 독이나 저주가 있을 거라고 무턱대고 기피하던 때는 지나갔지. 좋은 일이야."

에반과 주인장이 함께 만든 브랜드 형제 꼬치는 던전 도시 셰어든 본점 외에도 실크라인 왕도 분점과 펠라티 분점을 두고 있었는데, 펠라티 분점은 해당 지역의 특색을 살려 해양 몬스터 고기로 만든 꼬치를 팔고 있었다.

주인장은 자유 시간이 날 때마다 그곳으로 향해 직접 꼬치를 만들거나 새로운 소스를 연구하거나 하며 펠라티의 요리 기법을 빠르게 흡수하고 있었다.

"그나저나 주인장이야 여기 어디 있을 형제 꼬치 분점 해안 매장에 있다 쳐도 다른 사람들은 정말 다들 어디로 간 거지."

처음엔 분명 전원이 함께 다니고 있었는데, 워낙 사람이 많다 보니 어느덧 자연스레 일행과 떨어지게 되어 지금은 에반과 아리샤 둘만 남았다.

언제나 에반을 곁에서 수행하려 하는 벨루아가 그를 놓친 것은 펠라티 토박이이며 무수한 사람을 움직일 권리까지 갖고 있는 아리샤가 자신의 전력을 동원해 에반만을 데리고 튀었기 때문이지만, 물론 그 사실은 에반에게는 비밀이었다.

"너무 걱정하지 마, 에반. 든든한 보호자가 붙어 있으니까 괜찮을 거야."

"뭐, 그렇겠지만."

하긴 만약의 사태가 있어도 벨루아가 여우불 하나 날리면 대개 해결이 되겠지. 에반은 간신히 일행과의 합류를 포기하며 고개를 끄덕였다.

그 옆에서 아리샤가 눈을 살짝 가늘게 뜨며 말했다.

"그리고 에반은 내가 지킬 수 있으니까 불안해하지 마."

"그거 엄청 든든하네. ……너한테 그런 말을 하게 만드는 나 자신이 조금 한심하긴 한데."

"에반이 뭘 걱정하는지 알고 있으니까 이젠 그 정도로 한심하다는 생각은 하지 않아."

아리샤가 여유로운 표정으로 그렇게 말하며 에반에게 검지를 세워 보였다. 자신만만한 미소가 멋졌지만 지금 그런 미소를 지을 타이밍이던가, 하는 생각도 조금 들었다.

“아리샤 너도 참 나한테 많이 적응했구나…….”
“그야 재밌는걸.”
“흐.”

이젠 반쯤 아리샤의 입버릇이 되어 버린 그 말을 들으며 에반은 웃어 버렸다. 그것이 그녀 나름의 부끄러움을 감추는 방법이라는 사실을 알고 있는 지금은, 그 말이 조금도 무섭지 않았다.

“그 말은 언제나 만능이구나.”
“어…… 음, 응.”

아리샤는 에반이 미소 짓는 모습에 넋을 잃고 멍하니 에반을 바라보다가는 핫, 하고 간신히 제정신을 차렸다. 그와 함께한 지가 몇 년인데 웃는 모습에 일일이 반했다간 심장이 과로사해 버리고 말 것이다.

“가, 가자. 아버지한테 주요 행사 식순이 담긴 안내문을 받아 왔으니까. 가장 예산이 많이 투입된 행사만 골라서 즐기는 거야."

"행사를 고르는 기준이 정말 확실해서 좋구나."

"숫자는 거짓말을 하지 않으니까."

그 사고방식에는 요마대전 독극물인 자신과도 상통하는 부분이 있었다. 에반은 재차 쓴웃음을 띠며 아리샤를 따랐다.

"떨어지면 안 되니까 좀 더 가까이 와."

"그래, 사람이 많네."

아리샤가 은근슬쩍 팔짱을 껴 왔지만 거부하지 않았다. ……다른 일행을, 특히 벨루아를 떼어 내느라 얼마나 고생했을지 생각하면 이 정도는 괜찮으리라 생각했다. 당연하지만 에반이 그녀의 속셈을 모를 수가 없었다.

"다들 잘 놀고 있겠지?"

"그, 그야 그렇겠지! 분명히 그럴 거야! ……마지막 날 밤이 아니니까 괜찮겠지."

에반은 혹여 자신의 공작이 들킬까 파르르 떨며 대꾸하는 아리샤의 모습에 속으로만 킥킥 웃으며 고개를 들었다. 저 멀리 하늘 위로 비행하는 새들도 웃고 있는 것만 같았다.

❋❋❋

아리샤의 안내는 실로 훌륭했다. 아니, 물론 그녀의 안내도 훌륭했지만 그보다 훌륭한 것은 이 도시에서 그녀가 갖는 입지였다!

아리샤가 에반을 대동하고 나타나기만 하면 그곳이 어디든 모든 대기 열이 사라지고, 앞 열의 사람들이 몇 명인가 모습을 비워 좋은 자리를 차지할 수 있게 되며 모든 이벤트를 즉각적으로 즐길 수 있었다. 역시 권력이 최고였다.

"아가씨, 타깃은 현재 C-7 위치에…… 다음 이동 경로는 이렇게 하시는 것이……."

"훌륭해."

더구나 해안 곳곳에서 이벤트를 진행하는 펠라티 백작가의 가솔들이 아리샤에게 최적의 경로를 안내해 준 덕에 그들은 축제를 무척 쾌적하게 즐길 수 있었다.

아니, 아마 아리샤가 안내받고 있는 것은 헤어져 버린 일행과 다른 경로로 이동하는 방법이겠지만……. 저쯤 되면 혹시 에반을 속이는 것을 아예 포기했을 가능성조차 있다!

"에반, 다음은 저곳으로 가자. 악단의 공연이 있대."

"좋네. 혹시 류트걸즈는 안 왔나?"

"걔네가 셰어든에 자주 오는 건 순전히 네가 있기 때문이야. ……메이벨한테 개런티 얘기를 듣고 깜짝 놀랐는걸."

너무 높아서가 아니라 너무 낮아서. 메이벨의 수완도 수완이겠지만, 그만큼 에반의 미모가 대단하다는 증거이기도 했다. 물론 에반을 보고 셰어든에 정착한 아리샤는 그녀들의 마음을 이해할 수 있었지만 말이다!

"아, 정말 에반 공자님이 있어!"
"뭐라고!?"
"에반 공자님이다! 다들 목 풀어, 목!"
"야호!"

그런데 놀랍게도 류트걸즈가 행사장에 와 있었다!

"메이벨…… 아니지, 솔레이유 준남작님한테 셰어든 던전 축제 공연 의뢰를 받으면서 덤으로 얘기를 들었어요. 그래서 와 버렸지롱!"
"고마워요. 여기서도 무대를 볼 수 있어서 기뻐요."
"얘들아, 들었지? 공자님이 기쁘대!"
"우오오오오오!"

행사 때마다 보다 보니 이젠 얼굴이 익을 지경이 된 류트걸즈 리더가 에반에게 다가와 인사를 하며 사정에 대해 설명해 주었다.

에반이 순수하게 즐거워하는 한편 아리샤는 살짝 뚱한 표정을 지었다. 메이벨 그 망할 것이 자신이 올 수 없다고 대신 첩자를 밀어 넣은 것이 분명하다!

"지금부터는 쭉 우리의 턴입니다! 류트걸즈 데뷔곡부터 달립니다, 다들 환성 부탁해!"

"꺄아아아아아아아아!"

"누나, 여기 봐 주세요!"

다만 류트걸즈의 등장으로 던전 축제 자체가 한층 더 끓어오른 것만은 부정할 수 없는 사실. 일단 이 도시 지배자의 딸인 아리샤도 박수로 그녀들의 무대를 맞이하는 수밖에 없었다.

"……에반, 계속 여기 있을 건 아니지?"

"그럴 리가. 몇 곡만 듣고 가자. 저 누나들 내가 있으면 라이프가 제로가 될 때까지 계속 공연할 것 같은 분위기잖아."

"정말 뭣들 하는 건지."

에반과 아리샤는 그 후로도 도시를 구석구석 돌아다니며 축제를 즐겼다. 대외적으로는 둘이 약혼 관계로 알려져 있는 만큼 이렇게 같이 있는 모습을 보여도 별문제가 될 것은 없었다.

……까놓고 말하면 벌써 코가 꿰인 것은 아닐까 하는 생각도 있었지만, 거기에 대해선 지금 생각하지 않기로 했다.

"이쪽이야."

"에스코트 정말 확실하구나."

"이 매점도 확실해. 몇 시간 내내 매상이 증가 추세를 보이고 있다는 보고가 있었어."

"음, 여기 맛을 분석해서 주인장에게 알려 줘야 할까……."

공연과 이벤트를 즐기고, 중간중간 군것질도 해 가며 배를 채운 에반과 아리샤는 이 축제에서 해야 할 일들은 다 해치웠다는 후련한 기분으로 다소 느긋이 도시를 돌아다녔다.

그리고 놀랍게도 아직까지 한 번도 다른 일행과 조우하지 않았다. 에반은 과연 펠라티의 던전 기사단도 얕볼 수 없겠다는 생각을 하게 되었다. 그 능력을 발휘하는 분야에 대해서는 조금 따지고 싶은 구석이 있었지만.

"밤이 되니까 제법 쌀쌀해지네."

"그래도 이곳에 부는 바람은 기분이 좋아."

"그러게. 나도 잊고 있었어."

에반의 말에 아리샤가 미약하게 웃으며 동의했다. 바람에 흩날리는 백금의 머리카락을 쓸어 정돈하는 손짓이, 그 입가에 걸리는 미소가 그림처럼 아름다웠다. 에반은 그 모습을 보며 문득 궁금해졌다.

아리샤가 던전 기사단에 입단하는 형식으로 셰어든에 머무르게 된 지도 어느덧 3년이 넘었다. 15년의 인생 중에서도 2할.

'아리샤, 너는…….'

그녀는 어떤 마음으로 셰어든에 있는 것일까, 이곳에 돌아와서는 무슨 생각을 하고 있는 것일까…… 그리고 앞으로는 어떨까.

본편이 시작되면 그녀는 어쩌면. 떠올리지 않으려 해도, 그녀와 마주하고 있으면 늘 언제나 생각의 종착점은. 종종 깨닫게 되는 이 불안감은. 이미 에반에게 아리샤는…….

"에반."
"으, 응?"

에반의 마음을 알아챘을 리도 없는데 바로 그 타이밍에 아리샤가 입을 열었다. 조각조각 이어지던 에반의 상념이 산산이 부서졌다.

"곧 불꽃놀이가 시작될 거야. 3년 전 셰어든의 불꽃놀이를 본 아버지가 훨씬 성대한 축제를 벌일 거라 벼르고 있었으니 기대해도 좋아."

"그 아저씨도 의외로 경쟁심이 있구나."

나쁜 소식은 아니었다. 에반도 불꽃놀이는 좋아했으니까.
……3년 전 셰어든의 던전 축제 마지막 날 쏘아 올린 불꽃을, 그는 잊지 못했다. 마화족 문제를 해결하고 모두와 함께 보았던 불꽃을.

……아니, 그때 바로 옆에는 벨루아가 있었던가.

"하지만 에반, 오늘은 내 독점이니까."

"너희 역시 독심술 있지?"

"너는 포커페이스가 전혀 안 되니까."

"젠장, 그래도 제법 수련했다고 생각하는데……."

"그런 구석이 재미있다는 거야, 에반. 아직 멀었구나."

아리샤는 킥킥 웃으며 에반의 손을 잡아당겼다.

"불꽃놀이를 보기에 좋은 장소를 봐 뒀어. 가자."

"그, 그래?"

아리샤가 조금 초조해하는 느낌이 들기는 했지만 여기까지 와서 물러설 수도 없다. 에반은 순순히 아리샤를 따라 움직였다.

여러 민가를 지나, 도로 한쪽에 준비되어 있던 마차를 타고 언덕을 올랐다. 마부는 말 한마디 없이 마차를 몰더니, 언덕 꼭대기에 둘을 내려 주고는 조용히 돌아갔다.

저 멀리서 경비를 서고 있는 기사들이 보였지만 그들은 약속이나 한 듯이 이쪽에 시선을 주지 않고 있었다.

"좋은 장소를 봐 둔 게 아니라 VIP 권한으로 맡아 둔 거잖아, 이건."

"그게 그거잖아. 자, 이리와."

그러고 보면 언덕 중턱 즈음에 다른 VIP들을 위한 자리가 마련되어 있는 것이 보였다. 로이젠 히든 스테이지에서 봤던 사람들도 몇몇 있었다.

"저 사람들을 다 걷어차고 여기에 우리 둘만을 위한 자리를 마련하다니, 아저씨도 진짜……."

"자랑은 아니지만 우리 아버지는 딸밖에 몰라. 아, 에반 너도 만만치 않게 좋아하지, 참. 그러니 우리 둘을 위해서 이렇게 해 줄 수밖에."

절로 납득이 가는 아리샤의 설명에 에반이 피식 웃다가, 문득 생각나는 것이 있어 물었다.

"크로우 공자는?"

"집에 처박혀서 삼지창 수련하고 있을걸? 에반 너도 펠라티 체류 기간 내내 오빠 얼굴 안 보려고 기술을 가르쳐 준 거 아니었어?"

"오히려 네가 여태까지 그렇게 인식하고 있었던 게 놀라운데……."

대체 아리샤와 크로우 사이에 무슨 일이 있었기에 이 남매 관계는 이렇게나 끝장이 난 것일까. 에반이 물어보려던 바로 그 순간 밑에서 불꽃이 쏘아 올려졌다.

—쉬이이익, 펑!

기세 좋게 솟아오르던 불꽃이 정점에 달한 순간, 화려한 폭음과 함께 하늘에 성대한 불꽃의 원을 그렸다. 가슴이 들뜨게 하는 활기와 아름다움이 동시에 느껴졌다.

"……아저씨가 자신하실 만한데?"

"그렇지?"

게다가 이 VIP석도 정말 완벽했다. 주위가 고요하고 차분해 마치 이 공간에 에반과 아리샤밖에 없는 듯한 착각을 주는 가운데 차례로 솟아오르는 폭죽을 느긋이 감상할 수 있었으니까.

—펑! 퍼벙! 펑!

불꽃놀이는 시작한 순간부터가 클라이맥스였다. 대체 예산을 얼마나 썼을지 묻고 싶지 않을 만큼 굉장한 기세로 불꽃이 연달아 솟구치고, 형형색색으로 빛을 뽐내며 터져 나갔다.

그중에서도 특히 대단한 것은 불꽃이 터져 나가며 커다란 모형이나 글자를 만드는 광경이었다.

"대단하지? 마도국인 마나로드에서만 만들어 낼 수 있는 마법 불꽃이야."

"아, 마법이었구나."

지구에서는 화학 기술로도 얼마든지 만들어 낼 수 있었던 지라 착각하고 말았다. 하지만 생각해 보면 이 세상은 화학을 비롯해서 전반적인 과학 기술 수준이 그리 높지 않은 것이다!

"예쁘네. 우리 축제 때도 쓰게 좀 사 갈까."

"네가 결정해도 돼?"

"올해부터 형제 코퍼레이션도 축제 기획에 참여하거든. 메이벨 녀석이 온갖 화려한 부분은 전부 지가 가져왔어."

"그 여자는 진짜 종잡을 수가 없네."

"정말로."

거대한 불꽃에 압도된 에반과 아리샤는 조용한 목소리로 얘기를 나누며 차례차례 쏘아 올려지는 불꽃을 감상했다.

밑에선 사람들이 뭐라 환호성을 지르며 돌아다니는 것이 보였지만 소리는 이곳까지 전혀 닿지 않았다. 마치 일종의 이공간에 둘만 따로 남겨진 기분이었다.

"에반은."
"응?"

그래서일까.

"벨루아한테만 안심을 하더라."
"앗……."
"나는 그렇게나 경계하면서."
"……아리샤."

아리샤는 내내 에반에게 하고 싶었던 말을 간신히 입에 담을 수 있었다.

"있지, 에반. 사실 나는 그게 내내 아팠어……. 그러니까 오늘 전부 얘기하고 싶어."

"으……."

"너와 나의 관계에 대해, 여태까지처럼 어물쩍 넘어가지 않고…… 확실하게."

주위 풍경이, 소리가 흐릿해지는 가운데 아리샤의 옆얼굴과 목소리만이 선명했다. 에반은 이번 여행 최대의 위기가 닥쳐왔음을 직감하며 침을 꿀꺽 삼켰다.

아주 조금은 예상하고 있었지만 그 예상과는 전혀 다른 벡터로 찾아든 절체절명의 고백 이벤트가 시작되는 순간이었다.

아리샤는 에반을 돌아보지 않은 채, 하지만 에반의 손을 잡은 자신의 손에 힘을 조금 세게 주며 말을 이었다.

"세레이나가 이전에 말했지? 에반이 자신을 슬픈 눈으로 볼 때가 있다고. 그것과 비슷한 얘기야. 에반은 대부분의 여자를 두려워하고 피하는데 유독 벨루아한테만 안심을 해."

"그건, 있지……."

"물론 벨루아를 이성적으로 제일 좋아해서겠지. 그 정돈 알고 있어. 그 아이한테 반한 게 눈에 보이니까. 하지만 그것과 별개의 문제로도 그래."

찍소리도 나오지 않는다. 한 가지 확실한 건, 이 녀석은 분명히 독심술을 익혔다는 것이다.

"특히 나한테는 심했어. 세레이나 이상으로 심했다고 생각해. 넌 날 처음 만났을 때부터 노골적으로 피했잖아? 마치 나와 엮이면 아픈 일을 보게 되기라도 할 것처럼……."
"윽."
"에반, 기억해? 나는 그때 네가 나를 피하는 게 무척 흥미롭다고, 재미있다고 말했던 걸."
"……응."

워낙 강렬한 인상을 주었기 때문일까, 그 순간은 아직도 잊을 수 없었다. 아리샤는 무서운 사람이라고 확신하게 된 순간이었으니까.
그런데 다음 순간 아리샤는 그렇게 생각한 에반을 비웃기라도 하듯 옅게 웃으며 고개를 저었다.

"하지만 있지, 그건 아니야. 실은 전혀 재밌지 않았어."
"뭐……?"
"난 그냥 분했던 거야. 그래서 그렇게 둘러댄 거지."

쏘아지는 불꽃이 내는 폭음이 어쩐지 더욱 멀리서 들려오는 것처럼 느껴졌다. 에반은 발밑이 빙글빙글 도는 것 같았다.

"그야 그렇잖아. 난 네게 한눈에 반했는데 넌 날 피하고 있으니까. 엄청나게 짜증 나고 분하잖아?"

"……."

"입장을 바꿔서 생각하면 너도 이해할 수 있을 거야. 심지어 널 처음 만났을 때 난 열한 살이었어. 열한 살, 알아? 터무니없이 여리고 섬세한 나이야. 이해하겠지?"

이해한다. 처음부터 워낙 어른스러운 태도로 나와서 잊기 쉽지만 당시 그녀는 어린아이였다. 에반은 스무 살도 넘게 살았던 전생의 기억을 갖고 있으면서도 그 어린아이를 무서워했다. 생각해 보면 한심한 것 이상으로 아리샤에게 너무한 얘기였다.

……다만 이렇게 대놓고 '반했다'는 얘기를 들으면 에반도 대답이 곤란해지는 건 어쩔 수가 없는 일이 아닐까. 미리 각오하긴 했지만 정말 이번 여행은 빡세다. 터무니없이 빡세다!

"내가 너한테 억지를 부리고 끈질기게 달라붙었던 건 분명히 그래서야. 대체 왜 나를 피하는 걸까, 나는 아무 짓도 안 했는데 왜 나한테 그런 상처를 준 걸까. 알고 싶어서 참을 수가 없었거든."

"이럴 수가, 억지를 부렸다는 자각이 있었다니……."

"지금은 조용히 들어."

그녀의 손에 빡 힘이 세게 들어갔다. 에반과 함께 매일 단련을 하고 있는 만큼 그녀의 기초 완력은 실로 무시무시한 수준이다.

물론 그쯤은 되어야 에반에게 조금이나마 손이 세게 잡혔다는 인식을 줄 수 있는 수준이었지만!

"처음엔 전혀 알 수 없었지. 너는 엄청나게 좋은 사람이었고, 멋진 사람이었고, 그래서 다른 사람들도 모두 너를 따랐고, 도저히 아무런 이유도 없이 사람을 피할 만한 이유는 없어 보였으니까."

"윽……."

"하지만 어느 순간 감이 왔어. 너의 사고방식, 행동방식…… 무엇보다도 일을 계획하고 실행에 옮기는 과정을 옆에서 지켜보며 혹시나 하는 생각이 들게 됐어. 그리고 확신한 건 저번 세레이나 건."

"……."

"……넌 예지한 거지?"

에반이 침을 꼴깍 삼키는 가운데 아리샤가 용서 없이 말을 이었다. 여태까지 많이도 물러서 있던 그녀였지만, 지금은 나아갈 때라고 직감하고 있었다.

"내가 어떤 식으로든 너를 배신하는 미래를 예지한 거지?"

"……."

"그리고 아마 네 곁에는 벨루아만이 남았겠지. 내가 한 말,

맞으면 고개만 끄덕여 줘."

벨루아만이 남았다는 말에는 어폐가 있다. 요마대전 3 속에서 에반은 언제나 어떤 식으로든 죽음을 맞이했으니까.

하지만…… 그래, 에반이 끝을 맞이하는 순간까지 에반을 배신하지 않은 그리고 끝까지 그를 사랑한 여자는 벨루아, 혈안마녀뿐이었다.

혈안마녀는 처음부터 에반의 본성을 알고 있는 상태에서 그와 사랑에 빠졌으며, 그녀와 만난 것으로 인해 에반이 죽게 되었을 때 극도로 분노하여 끔찍한 짓을 저지를 정도였다.

'진짜 내가 생각해도 질리네. 게임과는 이미 모든 것이 다른 환경인데! 다 알고 있는데, 진짜 빌어먹을…….'

요마대전 3에 에반만을 위한 히로인이 있다고 한다면 그것은 단연 혈안마녀 벨루아였다.

에반이 무의식중에 벨루아에게 자신을 모두 드러내고, 안심해 버리는 것은…… 아마도 그 이유가 가장 클 것이다. 결코 그뿐만은 아니었지만, 부정도 할 수 없었다.

"……맞아."

"역시?"

에반이 자괴감을 느끼면서도 조용히 고개를 끄덕이자 놀랍게도 아리샤는 웃어 버리고 말았다.

이유는 간단했다. 이것마저 아니었으면 정말 힘들었을 테니까. 그녀도 이 이상 다른 풀이를 궁리하느라 고생하기는 싫었다.

"에반 넌 진짜 바보구나. 게다가 모순적인 인간이야. 언제는 예지가 틀리는 순간이 올 거라면서 무서워하더니, 여태 예지 때문에 그렇게 움츠러들어 있던 거야?"

"네가 하는 말 그대로야……."

"그래도 이해해. 여태까지 우리 모두 그 덕을 많이 봤으니까. 언젠가 틀릴지도 모른다는 걸 알면서도 최우선적으로 의존하게 될 정도로."

"아리샤……."

"하지만."

아리샤가 에반을 향해 돌아섰다. 이런 때도 불꽃은 쉴 새 없이 펑펑 터지고 있었지만 그것을 아리샤가 가리고 있어 에반에겐 아무것도 보이지 않았다.

어느덧 숨결이 맞닿을 만큼 가까워진 그녀의 고운 얼굴, 그녀의 푸른 눈동자에 비친 자신의 모습만이 생생하게 보였다.

"지금 확실하게 말해 줄게. 너의 그 예지는 틀렸어. 아니,

틀릴 거야. 내가 반드시 그렇게 만들 거야. 이유 말해 줘?”

“아니, 이쯤 되면 아무리 내가 바보라도…….”

“왜냐면 내가 널 엄청 좋아하니까야.”

“날 대체 얼마나 바보라고 생각했던 거야!?”

에반의 얼굴이 갓 수확한 토마토처럼 빨갛게 물들었다. 요마대전 3에 나오는 아리샤는 분명 적극적이지만 사랑을 표현하는 데에는 무척 굼뜬 여성…… 아니, 이건 이제 됐다니까!

“아리샤 너 진짜.”

“내가 널 엄청 사랑하니까야!”

“글세, 부끄럽다고!”

“지금 분명히 말해 두지 않으면 내가 나중에 도망칠 것 같아서 그래. 그러니까 지금, 확실하게…….”

그녀의 얼굴이 더욱 가까이 다가왔다. 에반의 코와 입술을 적셔 오는 숨결이 너무 뜨거워 키스라도 당하는 줄 알았다.

하지만 그녀는 그 직전 애써 멈추더니 에반의 뺨에만 가볍게 흔적을 남기고 물러섰다.

“너랑 내 감정이 동등하지 않은 거 잘 아니까. ……그래도 에반도 나 좋아하긴 하잖아. 안 좋아하면 이렇게 다가오게 허락 안 해 주잖아. 물론 이렇게 되기까지가 정말 힘들었지만!”

"아리샤……."

"후, 아무튼 단단히 기억해 둬. 그 예지는 틀릴 거라는 거. 난 절대 너를 배신하지 않아. 어떤 이유로든. 그러니까 안심해. 무조건 안심해."

그것은 분명 지금 그녀의 각오일 뿐, 미래에 어찌 될지는 그 누구도 장담할 수 없다. 그러니 그녀의 말을 뒷받침할 수 있는 논리는 없었다.

……다만 지금 중요한 것은 논리 따위가 아니었다. 그 정돈 에반도 알 수 있었다.

"자랑은 아니지만 난 에반 너에 비하면 다른 것들은 모두 어찌 되든 좋아. 그러니 내가 널 배신하게 하려면 정말 어지간한 일로는 안 될 거야. 설령 내가 모르는 곳에서 네가 다른 여자들이랑 뒹굴고 온다고 해도! 그래도 날 계속 봐 준다면 난 그걸로 족할 자신이 있어!"

"그런 말을 그렇게 큰 소리로 하지 마!"

"하지만……."

열정적으로 사랑 고백을 하나 싶었는데 거기서 갑자기 아리샤가 살짝 풀이 죽었다.

"경쟁자들을 생각해 보면 아무래도 내가 널 독점할 수 있을 것 같지가 않아서…… 벨루아도 있고."

"어……."

"당장 나도 이러고 있는걸. 아마 다른 이들도 널 포기하지 않을 테고, 그런 상황에서 널 독차지한다는 건 아마도 요마왕을 쓰러트리는 것보다도 힘든 일일 테니까. 그러니 타협하는 거야. 더 사랑하는 쪽이 지는 거잖아."

그러니까, 하고 아리샤가 재차 손을 뻗어 에반의 가슴팍을 짚으며 말했다.

"내가 너한테 진 거라고. 그러니 날 네 뜻대로 해. 그래도 안심하지 못하겠거든 널 안심시키기 위해 내가 뭘 해야 할지 알려 줘. 전부 해낼 테니까. 그러니까……."

그러니까, 그러니까.

"그러니까 이제 네 마음의 벽을 좀 허물어 줘. ……부탁이야."

에반은 오늘만큼 자신이 쓰레기라고 생각한 적이 없었다. 아리샤가 고고한 자존심마저 내던지고 이렇게 말해 올 정도로 정신적으로 몰려 있을 줄 알았더라면 이보다 전에 어떤 식으로든 결판을 냈을 터다.

포커페이스가 허접하다며 매번 놀림을 받았지만, 에반은

정말 진즉부터 그녀에게 내보여선 안 될 속내마저 들키고 있었던 것이다.

"아리샤, 우리……."
"조, 좋아. 내가 하고 싶었던 말은 여기까지야."

그런데 에반이 단단히 각오하고 입을 연 바로 그 순간, 여기까지 잘 해낸 아리샤가 이제 와서 그의 대답을 듣는 것이 무서워졌는지 다급히 그의 말을 끊어 버렸다.

"참고로 말해 두는데 내일부턴 날 때려죽여도 부끄러워서 다시는 이런 말 못 할 테니까, 방금 말한 거 전부 제대로 기억해 둬야 해. 어때, 기억했어?"
"야, 아리샤."
"기억했냐니까?"
"기억했어. 그러니까 셰어든으로 돌아가면 정식으로 약혼하자."
"꺅!"

에반의 갑작스러운 말에 아리샤가 깜짝 놀라 주저앉아 버렸다. 에반은 자신 못지않게 빰이 붉게 달아오른 아리샤를 마주 보고 주저앉아 말을 이었다.

"너를 약혼이라는 수단으로 구속하면, 그땐 안심할 수 있을 것 같은데. 어때?"

"에, 에반, 진심이야……?"

"응."

그건 터무니없는 거짓말이고 기만이었다.

에반이 처음 아리샤와의 약혼을 거부했던 이유가 무엇이던가. 약혼 관계로 묶인 그녀가 약혼 파기를 선언하고, 그에 충격을 받는 에반의 모습이 강렬한 트라우마로 남아 있었기 때문이 아니던가.

그런데 이제 와서 약혼으로 그녀를 구속하면 안심할 수 있다니, 거짓말도 이런 거짓말이 없는 셈이었다.

"나랑 약혼해 줄래, 아리샤?"

"으……."

하지만 그렇기에 그것은 에반의 결의이기도 했다. 자신에게 진심을 내보인 아리샤를 믿겠다는, 더는 이 거지 같은 요마대전 3의 트라우마에 시달리지 않겠다는, 자신의 의지로 판단하겠다는 결의.

"아리샤?"

"응, 할래. 무조건 할래……."

끝내 아리샤는 그렇게 대꾸하곤 양손으로 제 얼굴을 덮어 가렸다. 그녀의 팔이 부들부들 떨리는 것이 보였다. 그녀의 목소리도 떨려 나왔다.

"어떡하지, 너무 기뻐서 표정 관리가 안 돼……."

"여태까지도 대외적으론 약혼자 취급이었잖아."

"나, 방금 백작가 영애로 태어나서 진심으로 다행이라고 생각했어……. 벨루아한테 1부인 자리 안 뺏겨서 다행이라고……."

이미 에반의 말을 듣고 있지 않았다. 아니, 약혼이라는 단어에서 순식간에 1부인까지 점프하는 걸 보면 소녀는 소녀구나.

에반은 피식 웃으며 여전히 얼굴을 가리고 있는 아리샤의 머리를 조심스레 쓸어 주었다. 그녀도 말했듯 자신과 아리샤의 마음의 무게는 아직 같지 않다. 그녀를 좋아하는 건 확실하지만 사랑이라고 자신 있게 말할 수는, 결코 없다.

그래도 그는 이게 정답이라고 생각했다. 도망치지 않고 앞으로 나아가는 방법이라고 생각했다. 벨루아에게는 나중에 찬찬히 설명해야겠지만…… 아니, 벨루아만으로 안 끝날지도 모르겠지만 이게 다 자신의 업보였다.

"아리샤, 이제 좀 진정됐어?"

"무리야. 나 어쩌면 앞으로 평생 너와 마주 볼 수 없을지도 몰라.”

“응, 그래도 가능하면 오늘 내에 진정하자.”

평소의 캐릭터가 붕괴되는 수준을 넘어 이젠 오히려 참신하게 느껴지는 말을 연발하는 아리샤의 모습에 피식 웃으며 에반은 먼저 하늘로 시선을 돌렸다.

아직 불꽃놀이는 계속되고 있다. 기껏 그녀가 마련해 준 특등석인데 즐기지 못하는 것도 미련한…….

“……응?”

에반의 눈이 가늘어졌다. 화려하게 폭발하는 폭죽의 빛 너머로, 하늘에 흐릿한 그림자가 보였던 것이다.

존재 레벨만으로 요마대전 2의 주인공 레오를 압도하는 에반의 눈을 속일 수는 없다. 분명 뭔가가, 대량으로, 떨어지고 있었다.

“아리샤.”

“나 조금만 더 이러고 있게…….”

“정말 미안한데, 안 될 것 같아.”

에반의 목소리가 급격히 딱딱해졌다. 그 직후 저 아래에서 피어난 끔찍한 비명 소리가 내내 고요했던 언덕 너머까지 기어 올라와 에반과 아리샤의 귀를 진동시켰다.

아리샤가 순식간에 벌떡 일어서며 허리춤의 레이피어를 뽑아 들었다. 에반에게 선물 받은 아티팩트였다.

"에반!"
"아리샤, 움직이자."

불꽃놀이가 중단되었다.
그날, 던전 도시 펠라티는 사상 최대 규모의 습격을 받았다.

"꺄아아아아악!"
"끄악!"
"모, 몬스터! 하늘에서……!"
"제기랄, 역류다! 역류가 터진 거야!"

펠라티 전역이 혼란에 뒤덮였다. 하늘에서, 바다에서, 심지어는 내륙과 면한 성벽을 타고 기어 올라오는 몬스터들로 도시가 아비규환이 되었다. 상상할 수 있는 모든 사태가 한꺼번에 일어났다고 보면 되었다.

"이게 지금 대체 왜……? 역류의 위험이 없는 시기였을 텐데!"

에반을 따라 언덕 아래로 내달리며 아리샤가 고함을 지르

듯 외쳤다. 그녀가 내민 검 끝에 모인 돌개바람이 강하게 내쏘아져 어두운 하늘을 선회하던 비행 몬스터 몇 마리를 격추시켰다.

"단순한 역류가 아냐. 대역류도 아니고. 이건……."

에반이 말끝을 흐렸다. 게임 속에서 이런 광경을 본 적이 있었다. 정확히는 요마대전 3와 4 본편에서 중요한 순간마다 일어났던 사건을 CG로 옮겨 놓으면 이렇게 되곤 했다.

그렇기에 이상한 것이다. 적어도 앞으로 수년은 더 있어야 일어날 일이었으니까. 다만 이번 여행을 떠나기 전부터 어딘가 이변을 예감하고 있던 에반의 입장에선, 역시나 이렇게 되었구나, 하는 기묘한 감상 또한 있었다.

다만 그것이 셰어든이 아닌 펠라티에서 일어나게 될 줄은, 정말이지 짐작도 하지 못했다.

"마족."

"……마족?"

"그래, 한꺼번에 이만한 숫자의 몬스터를 통솔하려면 마족이 나서야만 해. 여태껏 잠잠하던 놈들이 드디어 이를 드러낸 거야."

에반의 말에 대꾸하는 아리샤의 목소리가 떨렸다. 그러나 그에 대꾸하는 에반의 목소리는 굳건했다. 이제 더는 기존의 시나리오에 흔들리는 일이 없을 것이라 다짐했으니까. 그래, 아리샤 덕분에.

"어떻게, 어떻게 해야……."
"잡아 죽여야지. 나도 할 수 있고, 너도 할 수 있어."

에반은 내달리는 와중에 여태껏 해제하고 있던 장비를 착용했다. 그래 봤자 두 가지, 장갑인 검은 구름과 반지인 장미 넝쿨뿐이었지만. 그 두 가지를 착용한 순간 스스로의 능력이 폭증하는 것을 아주 잘 느낄 수 있었다.

"내가 마족을?"

그러나 에반의 말을 듣던 아리샤는 마족을 죽인다는 말에 흠칫 몸을 떨었다. 지당한 반응이다. 마족은 평범한 몬스터와는 다르니까. 악의 근원이며 인류의 대척점에 선 자들, 요마왕의 추종 집단.

마화족 사태만 봐도 알 수 있듯 인간은 마족을 본능의 영역에서부터 두려워했다. 제아무리 깊은 수련을 했어도, 고대의 골렘을 잡을 수 있을 만큼 굉장한 능력을 지녔어도 관계가 없는 일이다. 뿌리 깊은 공포심은 이치나 논리와는 별개의 영역에 있었다.

"할 수 없을 것 같아?"

하지만 에반에게 있어서 마족이란, 그냥 좀 더 보상을 많이 주는, 좀 더 잡기 귀찮은, 메인 시나리오에 많이 등장하는 몹일 뿐이었다.

물론 게임 속 에반은 마족들을 상대로도 무수히 죽어 나갔지만 그것 때문에 대상을 무서워하려면 에반은 당장 슬라임도 무서워해야 한다. ……그야 물론 한때는 무서웠지만 지금은 아니다.

"……에반이 할 수 있다고 한다면 나도 할 수 있어."

"좋아, 그 마음가짐이면 충분해."

에반의 담담한 모습에 아리샤도 드디어 용기를 냈다. 마침 잘된 일이었다. 곧 화려하게 무너진 건물의 잔해를 뚫고 둘의 눈앞에 마족이 나타났으니까.

[타깃 발견. 제대로 호위하는 병력도 없이 뛰쳐나오다니, 용맹과 무모를 구분할 줄 모르는 모양이군.]

염소의 머리를 달고 거구의 인간의 육체를 지닌, 비교적 흔한 타입의 마족. 물론 인간계에 한 마리만 나와도 일대가 뒤집어지는 끔찍한 괴물이지만 요마대전 중후반부만 가도 질리도록 얼굴을 마주하게 되는 놈이기도 했다.

“지금 네 실력이면 할 수 있어, 아리샤.”
“할 수 없어도, 할 거야……!”
[카하하하하하!]

에반의 말을 끝까지 듣지도 않고 아리샤가 돌격했다. 마족은 아리샤의 무모해 보이는 돌격에 광소를 터트리며 손을 마주 내밀었다.

그 위로 떠오르는 작은 마법진에서 내쏘아진 빛이 아리샤의 몸에 닿기 직전 소멸했다. 그녀가 몸에 두른 바람의 방어막이 빛을 해소한 것이다.

“큿, 막아도 제법 아파…….”
[크!?]

설마 공격이 이렇게 허무하게 막힐 줄은 몰랐던 마족이 노골적으로 주춤하며 약점을 드러냈다. 그것이 놈들의 패턴이었다.

자신이 강대한 마족이라는 사실을, 상대가 연약한 인간이라는 사실을 지나치게 과신해 얕보고 덤볐다가 언제나 썰리는 역할. 실로 엑스트라에 어울리는 역할이라 하지 않을 수 없다.

"하지만 해볼 만해!"
[커헉!]

아리샤의 검에 강한 바람의 힘이 깃든 바로 그 순간, 마족이 재차 만들어 내려던 마법진이 산산이 흩어졌다. 이어서 그녀가 내지른 검이 마족의 손목을 관통했다.

적의 공격 수단이면서 비교적 방어력이 약한 부분을 공격해 유효타를 넣는 것과 동시에 적의 수준을 어림잡으려는 것이었는데, 그 시도는 훌륭하게 성공했다.

[끄아악!]
"방어력도…… 그렇게 높지 않아!"

그 순간부터는 아리샤의 턴이었다.

그 마족은 마법을 위주로 능력을 숙달했는지 마법진을 제대로 만들어 내지 못하게 되자 아리샤의 공격을 피하기에 급급했는데, 안타깝게도 아리샤의 움직임은 이미 그 마족의 수준을 한참은 벗어나 있었다.

[크, 이것이!]
"하!"

샤인과 경쟁하며 바람의 마도를 몸으로 체현하는 데 심혈을 기울여 수련한 결과, 그녀는 마치 바람의 요정처럼 표홀한 움직임을 취할 수 있게 되었다. 그리고 그것이 바로 진정한 풍령보의 위용이다.

아니, 이 시점에서 이미 게임 속 모션보다 발전된 것처럼 보이는 것은 아마 엘프인 일로인의 도움을 받아 수련했기 때문일까?

마족의 회피 경로를 모조리 차단하며 쉴 새 없이 찔러 넣는 검격에 마족의 몸을 방어하는 결계가 너덜너덜해졌다. 불과 수십 초도 걸리지 않아 일어난 일이었다.

[끅!]

"후, 후우우……!"

돌개바람에 휘감긴 아리샤의 레이피어가 마족의 목을 꿰뚫기까지 그리 오랜 시간이 걸리지 않았다.

본래 마족 중에는 목이 잘려도 죽지 않는 것들이 많지만 최하급 마족인 이놈들은 아니었다. 마족의 사체가 순식간에 재가 되어 날아가고 남은 것은 검은 보석뿐. 아리샤를 대신해 에반이 그것을 주웠다.

"미약한 저주의 기운을 품고 있거든. 내가 회수할게."

"역시 그렇구나."

"그보다 어때, 할 만하지?"

"충분히. 하지만 만약 이런 놈들이 많다면……."

승리의 여운에 잠겨 있을 새도 없이 아리샤의 얼굴에 걱정과 탄식이 어렸다. 에반은 단호히 고개를 저었다.

"이런 마족이 인간계에, 그것도 던전 바깥에 쉽게 나올 수 있었으면 세상은 진즉 요마왕의 것이 되었겠지. 숫자는 그리 많지 않을 거야. 그보다 문제는, 정확히 어떤 놈들이 나왔냐는 거야."

펠라티의 던전 축제에 맞추어 이런 일을 꾸몄으니 최하급 마족 몇이 나타나고 끝은 아닐 것이다.

더욱이 방금 놈이 했던 말 중 신경 쓰이는 부분이 있었으니 바로 '타깃 발견'이라는 말. 타깃이 에반이든 아리샤든 그리 유쾌한 일은 아니었다.

"가족들과 합류하자. 최대한 빨리."

"그, 그래!"

에반과 아리샤는 다시 빠르게 달리기 시작했다. 다행히도 합류에 오랜 시간이 걸리지는 않았다. 폭죽도 사라져 어두워진 밤하늘 한중간에 갑자기 거대한 불꽃이 치솟아 폭발했기 때문이다.

하늘을 가득 메우고 있던 비행 몬스터들이 일제히 소멸한 것은 물론이고, 덤으로 마법을 구사한 이의 위치도 선명히 파악할 수 있었다.

"루아다!"
"저 아이는 대체 얼마나 강한 거야……!?"
"잠깐 안을게!"
"꺄!"

에반은 아리샤를 안아 들고 빠르게 내달렸다. 천중의 힘을 담아 자신의 몸을 가볍게, 공간을 무겁게 짓누르며 내달리는 헤븐 스텝! 그 일대 경로에 있던 모든 몬스터의 몸이 박살이 났다.

중간에 한 명 그들을 막아서려던 마족도 있었으나 무엇을 해 볼 틈도 없이 순식간에 소멸했다. 아리샤는 워낙 빠른 속도에 놀라 두 눈을 감고 있었기에 그것을 보지 못했다. 아마 보았더라면 무척 허무해졌을 테니 다행이었다.

"도련님!"
"단장님!"
"오빠야!"
"에반!"

실로 다행히도, 벨루아가 있는 곳에 셰어든 후작가는 물론 펠라티 백작가의 인물들도 모두 모여 있었다. 아니, 그뿐만이 아니다. 전투를 벌일 수 없는 일반인들도 모두 제 살길을 찾아 이쪽으로 몰려오고 있었다.

"무사하셔서 다행입니다! 정말……!"
"다행이구나, 에반……!"
"아리샤, 에반과 함께 있었구나. 맙소사, 정말 다행이야!"

에반은 요인들이 모두 이곳에 모인 것을 파악하고는 포위망을 좁혀 오는 마족과 그들의 명을 따라 돌진해 오는 몬스터들 그리고 이곳이 가장 위험한 환경인 줄도 모르고 무턱대고 이쪽으로 몰려오는 사람들의 모습을 둘러보며 현기증이 나는 것만 같았다.

"던전 기사단은!?"
"물론 필사적으로 움직이고 있다, 하지만 적의 숫자가 너무 많아! 더구나 평소의 역류와는 다르게 사방에서 놈들이 짓쳐 드는 상황이다. 빌어먹게도…… 희생을 각오하는 수밖에……."

멜토 백작이 이를 악물며 말했다. 분명 유사시 상황을 대비해 충분한 병력을 떼어 놓고 있었음에도 이번 습격에는 제대로 대처할 수가 없었다. 그 결과가 지금 상황이었다.

그중에서도 가문이 보유하고 있던 엘리트 마법사단을 습격 초기에 무력화당한 것이 컸다. 놈들은 펠라티를 사전에 철저히 파악해, 문자 그대로 작정하고 덤벼 온 것이다.

"도련님, 저희는 어떻게……."

"맞서 싸우는 수밖에. 가능하면 우두머리를 찾아 죽여야겠지만 이 상황에서는……."

가뜩이나 축제 때문에 평소보다 많은 사람이 도시에 몰려든 지금, 그들 틈바구니로 몬스터가 파고들어 적아를 구분하는 것도 힘겨웠다.

벨루아가 함부로 대형 마법을 연사하지 못하는 것도, 에반이 헤븐 스로우 같은 대형 스킬을 구사하지 못하는 것도 그 때문이었다.

"에반, 이 사태 어떻게 생각하느냐."

"마족이에요. 혹시 아버지는 못 보셨어요?"

"역시 그렇구나. 아직 보지 못했다만, 너희를 노리고 나타난 것이냐?"

"아마도요. 우리가 여기 모여 있으면 놈들도 모습을 드러낼 거예요. 목적은 아마도 우리 전부, 그러니……."

에반은 그 부분에서 자신의 어머니를 가만히 바라보았다.

그러나 레디네는 무척 슬픈 표정으로 고개를 저을 뿐. 에반은 그 이상 묻지 않고 고개를 끄덕였다.

요마대전 3 내내 레디네가 한 번도 힘을 보이지 않은 것을 생각하면 이상하지 않은 일이었다. 그저 언젠가는 어머니에게 직접 사정을 들을 수 있기를 바랄 뿐이었다. 그는 레디네와의 아이 콘택트가 없었던 일인 것처럼 자연스레 말을 이었다.

"여기서 우리끼리 막는 수밖에 없습니다. 가능하면 일반인들을 따로 대피시키고 우리끼리 마족을 유인하는 게 좋겠어요. 연유는 알 수 없지만 어떻게든 우두머리를 쳐부수고 나면 광폭화된 몬스터들도 어느 정도 진정될 테고, 던전 기사단과 병사들의 힘으로도 몰아낼 수 있게 될 테니까."

"광폭화, 그래. 몬스터들의 상태도 이상해진 것 같더구나. 설마 요마왕이 부활이라도 한 게 아닐까 싶었다만 그것이 마족의 능력이라면……."

에반의 말에 멜토 백작이 두 눈을 크게 뜨며 말하던 중, 어디선가 '쾅!' 끔찍한 폭발음이 일었다.

쌓아 둔 폭죽이 단체로 폭발이라도 했단 말인가? 차라리 그랬다면 좋았겠지만 아니었다. 폭발이 인 곳은 바로 펠라티 본성이었다. 에반은 성을 돌아보며 놀랍도록 침착한 목소리를 냈다.

“……저 성에 무엇이 있죠?”

“중요한 건 모두 여기 있다. 괜찮아.”

에반의 물음에 멜토가 다급히 대꾸했다. 그는 자신의 부인과 아들, 딸의 모습을 확인하며 재차 안도한 표정을 짓고 있었다.

그래, 물론 가족을 소중히 여기는 건 좋은 일이지만 지금은 가족애를 확인하고 있을 때가 아니다!

“게이트가 있어요.”

문득 크로우가 말했다. 그 역시 자신의 삼지창을 필사적으로 붙든 채, 이를 악물고 있었다.

“유사시 본국 수도와 통하는…… 그리고 다른 던전 도시와 통하는 게이트가.”

그 말을 듣는 순간 에반의 심장이 차갑게 얼어붙는 것만 같았다.

적의 진정한 목적을 알 것만 같았다.

“셰어든이 위험해요.”

에반의 말에 소라인 후작이 움찔했다. 사실 그도 어느 정도 예상하고 있던 일이었다.

하지만 지금 그 사실을 알게 되었다고 해서 셰어든과 마차로 족히 며칠 거리 이상을 떨어져 있는 이곳에서 할 수 있는 게 무어겠는가? 바로 방금 셰어든으로 통하는 게이트도 파괴된 마당에!

후작은 그런 동요를 감추려는 듯 지그시 눈을 감고는, 굳은 목소리로 말했다.

"에릭을…… 에릭을 믿자꾸나."

"물론 저도 형을 믿어요. 하지만 지금 펠라티에 닥친 재앙만 해도 과거에는 없었던 수준인데, 셰어든이라고 다를까요? 전 아니라고 생각해요. 아무리 준비가 완벽했어도 대처하는 데 한계가 있을 거예요."

"에반……."

에반은 품을 뒤져 휴대용 통신구를 꺼내 들었다. 그가 갖고 있는 통신구에는 여러 종류가 있지만, 나라 하나 간격을 뛰어넘을 만큼 성능이 뛰어난 통신구는 하나뿐이었다. 바로 샤인과 연결되어 있는 통신구다.

"샤인."

마나를 불어넣고 샤인을 불렀지만 그것을 눈치채지 못했는지, 아니면 답을 하지 못하는 상황인지 답이 곧장 돌아오지 않았다. 이것만 해도 심상치 않은 상황이었다. 에반은 짓눌리는 긴장감을 애써 떨쳐 내며 다시 샤인을 불렀다.

"샤인."
[도련님.]

답이 돌아왔다. 적어도 샤인이 무사하다는 것을 알게 된 순간, 절로 다리에 힘이 빠지는 것만 같았다. 샤인이 어지간한 적에게는 결코 당하지 않는다는 것을 알면서도!

"괜찮아?"
[도련님이야말로 괜찮으십니까?]
"너는."
[저는 괜찮습니다.]

샤인은 짧게 답하고는 잠시 침묵했다. 직후 솔직히 뒷말을 이었다.

[하지만 라이한 형이 무리하고 있어요. 도련님, 도와주십쇼. 이러다 형이 죽겠습니다.]
"바로 갈게. 에릭 형은?"

[에릭 도련님도 무사하십니다. 안전한 곳에 모시고 싶었으나 직접 싸우시겠다고…… 도련님, 자세한 건 나중에 말씀드리겠습니다. 부탁드립니다, 빨리 와 주세요.]

"알았어."

통신이 끊겼다. 통신을 함께 들은 모든 이의 시선이 에반에게 꽂히는 가운데, 그는 담담히 손을 뻗어 자신의 부츠를 매만지며 조용히 중얼거렸다.

"해제."

여태껏 에반의 육신을 옥죄고 있던 끔찍한 마기가, 에반이 레디네의 도움을 받아 정립한 데빌 룬의 흐름을 따라 그의 몸을 감쌌다.

평상시 그를 억제하고 있던 만큼, 그 축적된 역사를 뒤집어 증폭시켜 에반이 전력 이상의 힘을 내게끔 하는 역전의 룬. 그것이 부츠의 룬의 실체였다. 그야말로 에반에게 딱 어울리는 능력이 아닐 수 없었다.

"저 혼자 갑니다. 제가 가면 시간에 맞출 수 있어요."

"에반!"

후작이 대뜸 목소리를 높였지만 에반의 태도는 단호했다.

"어차피 다들 절 따라오지도 못할 거예요. 루아, 여기는 너한테 부탁할게. 할 수 있겠지?"

"하지만 도련님, 저는 도련님과……."

"부탁해, 루아. 여기도 지켜야 할 사람들이 있잖아."

"윽……."

에반의 진지한 눈빛에 벨루아가 뭐라 반박하지 못하고 움츠러든 직후 에반이 누구도 믿을 수 없는 짓을 했다.

"읏……."

그가 먼저 다가가 그녀의 뺨에 키스를 한 것이다! 벨루아는 그대로 굳어 버리고 말았다.

"도, 도련님……."

"절대로 죽지 마, 루아."

"네, 넵."

"아리샤, 너도."

"응, 에반도 다치지 마."

이어서 그는 아리샤의 뺨에도 키스를 하며 재차 사람들을 놀라게 만든 후 한 걸음 뒤로 물러섰다. 애써 억누르고 있던 마기가 폭주하며 순식간에 에반의 전신을 뒤덮었다.

짙고 검은 마기가 에반이 뿜어내는 검보랏빛의 마력과 뒤섞여 더더욱 강렬한 빛을 발하니, 대번에 몬스터들의 어그로가 집중되는 것은 필연이었다.

"제가 처리할 수 있는 놈들은 최대한 처리하고 갈게요. 아저씨…… 아니, 장인어른, 끝까지 곁에서 도와드리지 못해 죄송합니다."

"아니, 미안해하지 마라. 방금 그 말을 들은 걸로 충분해."

"역시 말이 통하네요. ……그럼 아버지, 어머니들 그리고 리즈, 먼저 돌아갈게요."

"에반……."

"오빠?"

에반은 가족이 보내는 걱정스러운 시선을 애써 무시하며 돌아섰다. 그에게서 줄기줄기 흘러나오는 마기를 감지한 마족들이 곳곳에서 몸을 움찔하는 것이 느껴졌다.

사실은, 에반이 이렇게 마기를 드러낸 것도 마족의 마기를 잡아내기 위해서였다.

'시간이 없어. 대장만 잡자.'

마족들 중에서도 가장 강력한 마기를 품은, 하지만 자신의 모습을 가장 꽁꽁 감추고 있는 놈. 지금 이 순간도 무수히 몰려드는 몬스터들 틈에 숨어 자신의 목적을 달성할 순간만을 기다리고 있는 놈.

찾았다. 에반이 한 발을 뗀 순간, 그는 이미 놈의 눈앞에 있었다. '어째서'도 '어떻게'도 듣지 않는다. 그는 당장 놈을 찍어 눌렀다.

[커헉……!]

"하나만 묻자."

에반의 말이, 그의 기세가, 그의 발이 마족의 목을 짓눌렀다. 그가 풍겨 내는 절대자의 기세 앞에, 단신으로 던전 기사단을 대적할 수 있는 고위 마족, '노블'이 감히 숨조차 쉬지 못하고 벌벌 떨었다.

"이번 일의 진짜 목적은 뭐냐?"

[모, 몰라. 그저 던전 도시의 영주 가문의 인간들을 모두 공격해 죽이라는 명을…….]

"그래, 적어도 여기는 본 무대가 아니라 이거지."

[칵!]

그럴 줄 알았다. 생각보다 대가리의 수준이 높지 않았으니까. 에반은 그 이상 묻지 않고 그대로 마족을 죽였다.

천중의 힘을 실어 발한 헤븐 프레스에 마족은 육신의 흔적조차 남기지 못하고 그대로 산화했다.

“흡!”

에반은 우두머리의 근처에 있던 마족들도 되는 대로 잡아 죽이고는 재차 발을 뗐다. 그의 몸이 하늘 높이 치솟았다. 헤븐 스텝을 운용하면 하늘을 박차고 달릴 수 있다는 것을 깨닫게 된 지는 얼마 되지 않았다.

[키이이이이익!]
[키히! 키히이이!]
“쯧……!”

에반의 몸을 뒤덮은 마기는 마족은 물론이고 몬스터들에게도 탐스럽게 느껴지는 모양이었다. 특히나 이성이 없는 놈들에겐 거의 마약과 같이 느껴지는지, 에반을 보자마자 정신없이 몰려들고 있었다.
하지만 그렇기에 더 좋다.

“흡……!”

에반은 허공에서 있는 힘껏 발을 굴렀다. 한순간 일대에 끔찍한 압력이 걸리는가 싶더니, 직후 그에게로 모여들던 수천,

수만 마리 몬스터의 몸이 일제히 터져 나갔다!

한계를 넘어 증폭된 천중의 파괴력이 제대로 발현되는 순간이었다.

[키이이이이이이이이이!]

[킥! 키기기기긱!]

[끼이, 끼이이!]

그것은 마치 어두운 빛의 폭죽이 터지는 것만 같은 광경이었다. 지상에 있던 인간들은 그 광경을 보며 모두 아연해졌다. 마족도, 몬스터도 모두 마찬가지였다.

이해의 범주를 벗어난 재앙과 같은 힘 앞에 느낄 수 있는 감정은 오직 공포뿐. 에반이 재차 발을 구르자 피해가 확산되었다.

[키히이이이이!]

[키힉, 키이이익!]

[도망쳐, 도망…… 이길 수 없어!]

본능만 남아 있던 몬스터들은 그제야 겁을 먹고 도망치기 시작했지만 방금 드러낸 틈이 실로 치명적이었다. 반격의 기회만을 기다리고 있던 인간들이 한발 먼저 정신을 찾고 몬스터를 공격하기 시작한 것!

"대마도사."

"대마도사가 우릴 구원한 거야."

"에반 디 셰어든 공자다! 에반 디 셰어든 공자가 마족의 우두머리를 척살하고 몬스터를 소탕한 거야!"

자신의 이름을 부르는 사람들의 목소리가 높아지는 가운데, 에반은 미련 없이 허공을 박차고 내달리기 시작했다. 그 뒤에서 벨루아가 재차 불꽃을 만들어 내 몬스터와 마족들을 상대하는 것이 보였다.

그녀를 비롯해 도시에 있는 전력이라면 남은 무리 정도는 충분히 제압할 수 있으리라. 반드시 그럴 것이라 믿으며 에반은 다시 발을 내디뎠다.

"후우우……!"

이전 실크라인 서부에서 어설프게 이곳저곳 처박아 가며 움직였을 때와는 달리 그 움직임은 무척 부드러웠으며, 터무니없이 빨랐다. 그 속도는 가히 순간 이동에 준하는 수준.

그가 벨루아를 대동하지 않겠다고 한 것은 단순히 그녀가 펠라티에 남아 싸워 주길 바랐기 때문만이 아니라, 그녀가 헤븐 스텝으로 이동하며 받는 충격을 견뎌 낼 수 없으리라 생각했기 때문이었다. 이 이동 기술은 아마도 에반 본인이 아니면 감당할 수 없을 터다.

'샤인, 라이한 형, 레이…… 모두.'

하늘을 내달리는 에반의 얼굴이 참혹하게 일그러졌다. 어떤 사태가 일어나도 괜찮도록 대비했다고 생각했지만 설마 마족들이 튀어나올 줄은 몰랐다. 지금 셰어든에 남은 일행이 어떤 꼴을 겪고 있을지 생각하니 내장이 뒤틀리는 듯했다.

'견뎌 낼 수 있을 거야. 그렇게 단련했으니까. 반드시……!'

던전 기사단 멤버들은 괜찮을까. 영주 대리로서 경험이 얼마 없는 에릭 형은 이 사태에 냉정하게 대처하고 있을까.

자신에게 늘 호의적으로 대해 준 던전 탐험가 길드들은, 그리고 언제나 셰어든을 지키는 아이언월 나이츠는, 기사단장 미하일 디 에어로크는……!

'서두르자.'

에반은 이를 악물고 재차 발을 박찼다. 주위 풍경이 순식간에 휙휙 뒤바뀌었다. 지상의 인간들은 에반의 존재를 미처 가늠도 하지 못할 터였다.

그럼에도 불구하고, 셰어든까지는 아직 제법 많은 거리가 남아 있었다.

❋❋❋

"……아리샤 아가씨."

순식간에 터무니없는 위업을 달성하고는 하늘을 내달려 사라져 가는 에반의 뒷모습을 바라보며, 벨루아가 놀라우리만치 싸늘한 목소리를 냈다.

"도련님께 최면이라도 거셨습니까?"
"아니, 내 마음을 솔직하게 고백했어."
"잘도 그런 만용을."
"그랬더니 약혼하재."
"……."

그 말을 아리샤의 입으로 직접 듣는 순간 벨루아는, 몬스터들을 노려 발사하던 여우불의 위치를 조금만 어긋나게 하면 자신의 마음이 편해질 수 있지 않을까 진지하게 고민했다.

"너도 알고 있겠지만, 에반이 딱히 나를 싫어하지는 않잖아. 여태 피했을 뿐이지. 그런데 이젠 안 피하겠다나 봐. 그래서 그 증거로 약혼하자고."
"……."
"나 있지, 그 말을 들으면서 펠라티 가문의 영애로 태어나서 정말 다행이라고 생각했어.”

“그렇습니까…….”

벨루아는 아리샤에게 뭐라고 하는 대신 손을 뻗어 한 가지 마법을 더 구사했다. 우두머리를 잃고 혼란스러워하던 마족을 포착하는 데 성공하여 대인 살상 마법을 발현한 것이다.

한계까지 힘이 농축된 불꽃의 창은 실로 빠르게 내쏘아져, 훌륭하게 목표한 대상을 불태웠다. 무려 마족을 단숨에 불태운 것이다!

[끄아아아아아악!]

“후, 후우우…….”

그러나 벨루아는 그것으로도 분이 안 풀리는지 허공에 두 개의 불꽃의 창을 더 만들어 내며 이를 악물었다. 그녀는 지금 이 순간만큼 자신의 신분이 원망스러웠던 적이 없었다.

“약혼, 축하, 드립니다…….”

“고마워, 벨루아. 하지만 난 네가 더 부러운걸. 에반은 널 가장 좋아하니까. 게다가 그걸 천연덕스럽게 내 앞에서 긍정하고 말이야. 타고난 바람둥이야. 세상에서 제일 나쁜 놈.”

“…….”

예상치 못한 타이밍에 날아든 아리샤의 말에 순간 팔만에서 에반에게 들었던 말을 떠올린 벨루아의 볼이 붉게 물들었다.

아니, 비단 그것뿐만이 아니더라도 에반의 감정을 눈치챌 만한 일은 여태까지 무척 많았다. 그리고 그 마음을 에반이 아리샤에게까지 대놓고 드러냈다는 것은…….

"그, 그건 그러니까. 아, 아으."

"그러니까 둘이 같이 힘내자. 이런 데서 멈칫하고 있을 시간이 없어."

아리샤는 새삼스레 부끄러워하는 벨루아의 반응에 피식 웃으며 레이피어를 들었다. 그녀가 대충 자신의 말을 알아들었다 여긴 것이다.

"이런 것들은 후딱 정리해 버리고, 에반을 지키러 가자."

"……그렇네요. 특히 도련님의 약혼 사실을 알게 된 메이벨 언니는 무척 위험할 것 같으니."

깊게 들이마시고, 내쉬며 자신을 가까스로 진정시킨 벨루아가 재차 손을 들어 올리며 큼, 헛기침을 했다. 여전히 얼굴이 붉었지만 그건 모르는 척해 주기로 했다.

"어서 도련님의 곁으로 돌아가 그분을 지탱하지 않으면."
"그래, 이제 좀 벨루아 같네."

두 소녀는 대화를 마치고 돌아서며 재차 적을 마주해 각자 마력을 고조시켰다. 그 광경을 뒤에서 지켜보던 디오나가 조용히 태클을 걸었다.

"뒤에서 다 듣고 있는데 부끄럽지도 않나."
"한창 저럴 나이지."

후작이 껄껄 웃으며 디오나의 말을 받았다. 홀로 셰어든으로 향한 에반이 걱정스러운 것은 그도 마찬가지였지만 여기서 그가 그런 감정을 드러낼 수는 없는 노릇이었다.
지금 그가 할 수 있는 것은 아들들을 믿는 것, 여기서 죽지 않고 살아남는 것. 그리고 이곳에 남은 자신의 소중한 가족들을 지키는 것.

"멜토, 이거 나도 가만히 있을 수 없겠네. 가뜩이나 지켜야 할 가족이 많은데 거기에 방금 며느리가 둘이나 추가된 것 같으니."
"허허, 이것 참. 나도 질 수는 없지! 내 딸이 면사포를 쓰는 모습은 보고 죽어야 할 것 아닌가!"

영웅 에반의 활약으로 희망을 되찾은 인간들이, 닥쳐오는 몬스터 웨이브 앞에 다시 대지를 딛고 일어섰다.

여명이 다가오기까지는 아직, 길고 긴 밤이 남아 있었다.

Chapter 46.
에반 디 셰어든, 징벌하다

자신의 형 에릭에게는 미안한 일이지만, 에반은 자신이 없을 때 셰어든에 무슨 일이 일어나도 미리 파악하고 대응할 수 있도록 영지의 군병과 다른 체계로 움직이는 경계조를 짜 두었다.

자신의 명을 절대적으로 따라야만 하는 집단인 마녀들의 길드 핏빛 사과를 주축으로, 요마대전 3 마지막 시점까지도 던전 도시의 우군이었던 피닉스 길드와 낙원유랑 길드로 구성된 경계조는 오늘도 작전구역을 나누어 도시 주요 설비와 던전 입구 경비를 실시하고 있었다.

"잘 부탁합니다, 셀룬 양."

"와, 당신이 앨런이구나. 안녕, 잘 부탁해."

올해로 스물넷이 되는, 현역으로 활동하는 마녀 중에서는 가장 어린 잿빛 눈의 마녀 셀룬. 그녀는 많은 마녀들이 노리고 있는 매력남이자, 낙원유랑의 길드 마스터이기도 한 앨런과 같은 조가 되었다.

"우리가 외벽 순찰이지? 오늘도 별일 없을 것 같은데, 에반 공자도 참 유난을 떤다니깐."

"하하하, 그래도 그 사람은 날카로운 구석이 있으니까. 이럴 때 믿고 따르면 실을 보진 않아요."

지금 던전 도시에서 제일 잘나가는 길드의 수장이면서도 앨런은 마녀들에게 공대를 잊지 않았다.

그리고 그건 딱히 그가 겸손한 성격이어서가 아니었다. 단지 던전 도시에 정착하고 불과 1년도 되지 않아 던전을 최소 30층 이상 공략한 것이 확실한 마녀들의 집단이 얼마나 무시무시한 힘을 갖고 있는지 잘 알고 있어서였다.

"더구나 공자 덕에 저는 이렇게 아름다운 미녀분과 데이트를 즐길 수 있게 되었으니."

"어머나."

잘생긴 남자에게서 자연스레 흘러나오는 느끼한 멘트에 셀룬이 볼을 발갛게 물들였다. 그녀의 매력적인 잿빛 눈이 부드럽게 기울어졌다.

"언니들이 조심하라던 이유가 있었네."
"그런 오해를. 아무에게나 이런 말을 하는 건 아닌데."

앨런이 억울하다는 듯이 웃었다. 셀룬은 코웃음을 치면서도 내심 만족스러웠다. 하긴 그녀는 마녀들 중에서도 가장 예쁘니까!
130살이나 먹고 아직도 청춘인 체하는 노괴 멜로니아나, 마을을 뒤집어엎으려고 했으면서도 뻔뻔하게 그런 일은 없었던 것처럼 던전 도시에서 활개를 치는 망할 크테아실보다도 훨씬!

"어라, 순찰 루트 이쪽 아냐?"
"아, 서쪽 외벽은 오늘 다른 팀이 가는 걸로 알고 있습니다. 우리는 이쪽으로 가죠."
"그런가?"

마녀 중에는 덜렁이가 많다는 것도 이미 익히 알려진 사실이다. 셀룬은 순찰 루트를 교정해 주는 앨런을 보며 헤실헤실 웃었다. 앨런은 큼큼, 헛기침을 했다.
약삭빠르게 꾸며 낸 표정인 것을 알아도 넘어가지 않을 수 없는 매력. 그것이 마녀라는 존재의 힘이었다. 물론 앨런은 핏빛 사과 집단에 속한 마도사들이 마녀라는 별개의 종족이라는 사실까지는 모르고 있었지만 말이다.

"웃는 모습이 참 예쁘네요."
"그래애? 정말, 부끄럽게."

순찰을 하다 보니 두 사람의 거리가 점점 가까워졌다. 언니들에게 듣기로 앨런은 분명 매너가 괜찮다고는 했지만 먼저 유혹은 해 오지 않는 것으로 알고 있었는데, 설마 정말로 셀룬에게 꽂히기라도 한 것일까?

"아니면 드디어 오늘인가?"
"뭐가 말입니까? 아, 그나저나 순찰하는 길에 심심할까 해서 술을 좀 가져왔는데 드시겠습니까?"
"술 좋네에."

물론 개인마다 어느 정도 차이가 있기는 하나, 던전 도시의 강자들은 술 한잔 한다고 임무를 수행하지 못하게 될 정도로 취하지는 않는다.

오히려 적당한 활기를 불어넣어 주고 고통을 마비시켜 주기에 던전에 들어갈 때면 술을 챙기는 탐험가들이 많았다. 개중에는 꼭 정도를 모르고 마시다 객사하는 놈들도 많았지만, 그런 놈들은 애초에 크게 성장할 수 없었다.

“받으시죠.”
“어쩜 정성스럽게 내 몫까지.”

셀룬은 앨런이 챙겨 준 힙 플라스크를 받아 뚜껑을 열었다. 달콤하면서도 독한 술의 향기가 올라와 셀룬을 미소 짓게 만들었다.

“향기가 좋네. 무척 좋아.”
“너무 많이 마시면 지장이 오니까 조금만 마셔요.”
“으음, 그런 걱정하지 마. 난 물을 잘 다루거든.”
“물?”
“응. 물의 룬, 라구즈. 상당히 강한 룬이야. 차마 짐작도 못할 만큼 강해.”
“룬……?”

앨런은 타고난 전사 타입이다. 마도사 중에도 배우는 이가 적은 룬에 대해 그가 알고 있을 리가 없다. 셀룬은 제 손가락으로 플라스크 입구를 톡톡 두들겨 술이 찰랑이는 소리를 들으며 배시시 웃었다.

“원래 우리 마녀들은 최소한 서른은 넘어야 일인분으로 인정해 주거든. 그런데 이제 고작 스물넷인 내가 언니들한테 말대답 따박따박 하고 연애결혼을 하겠다고 빡빡 우기고 다닐 수 있는 자신감의 근원이란 말이지."

"역시 능력이 뛰어나시군요."

"응. 아, 그리고 이것도 알아 둘 것. 마녀가 먼저 외인에게 자신의 룬을 밝히는 건, 상대에게 자신의 운명을 내맡길 준비가 되었거나."

셀룬의 입꼬리가 부드럽게 휘어지는 바로 그 순간 힙 플라스크 위로 술이 치솟았다. 특이하게도 그것은 뱀처럼 가늘고 길게 뻗어 나와 허공에 하나의 문양을 그려 내고 있었다. 바로 라구즈의 룬이었다.

"상대의 운명을 거둘 준비가 되었을 때뿐이야."

"칫!"

앨런이 잽싸게 그 자리를 피하려 들었으나 이미 늦었다. 그녀 입으로 스스로 밝혔듯 셀룬은 룬의 이름을 입 밖에 낸 순간 이미 모든 준비를 끝마치고 있었으니까.

"큭, 이게……!"

앨런은 어느덧 사방에서 뻗쳐 자신의 전신을 구속하는 정체 모를 액체의 쇠사슬을 잡아당기며 이를 악물었다.

어떻게든 사슬의 일부를 뿌리치고 검을 뽑아 잘라 내려 했지만 잔뜩 녹이 슨 검으로는 아무것도 할 수가 없었다. 아티팩트인데 녹이 슬다니!

"이 망할 년이!"
"와, 다들 시작했나 보네."

눈 깜짝할 사이 앨런의 구속을 완료한 셀룬이 바람이 실어 오는 소음을 듣곤 한숨을 내쉬었다. 어느덧 밤의 도시가 소란스러워져 있었다. 다른 마녀들도 셀룬과 비슷한 타이밍에 푸닥거리를 시작한 것이리라.

다만 그뿐만이 아니다. 성벽 저 너머에서 소란스러운 괴성과 비명이 동시에 울려 퍼지고 있었다. 던전으로 들어가는 신전 입구 근처에서도.

몬스터의 역류가 시작된 것이다.

"어떻게, 언제 눈치챘지!? 에반은 내 말을 철석같이 믿고 있었는데! 천둥새 길드만을 의심하고 있었는데……!"
"처음부터. 아, 오늘 일이 일어날 거라고 확신한 건 네가 순찰 루트로 수작을 부렸을 때부터지만. 언니들한테 들었다고 했잖아. 다들 널 '조심하라고' 했다니까? 에반 공자는 널 믿었겠지만 우리는 아냐. 처음부터 우린, 에반 공자 말고는 아무도 믿은 적이 없거든."
"큭, 이게……."

앨런은 마구 몸을 비틀며 전신의 마력을 끌어올렸다. 셀룬을 기습하려던 찰나 반대로 역습을 당해 빈틈을 붙들리기는 했지만 위기 상황을 벗어나는 방법은 여러 가지가 있었다.

그는 낙원유랑의 마스터다, 던전 공략의 최선두에 서 있는 최정예 집단의 수장……!

"그럼 잘 가."

"컥!?"

다만 그것도 최소한의 유예가 주어졌을 때의 이야기. 셀룬은 곧장 허공에 빚어낸 물의 창을 앨런의 심장에 꽂아 넣어 그의 모든 행동을 정지시켰다.

앨런에게 걸려 있던 보호 마법 따윈 단박에 해제되고, 구명의 용도로 몸에 지니고 있던 방호 아티팩트는 이미 깨져 있었다. 마녀의 눈을 속이는 아티팩트가 있다고 하면 그건 에반이 가져오는 것들 정도였다.

"빌어, 먹을……."

"와, 심장이 뚫렸는데 살아 있네. 목을 잘라야 하나? 인간을 죽이는 건 처음이라 실수했는지도 몰라."

"에반, 그 부러운 새끼는……."

"에반 공자? 공자가 왜?"

에반 본인은 물론이고 에반과 관련된 일이면 뭐든 듣지 않고는 못 배기는 셀룬의 성질 탓에 앨런의 죽음이 아주 조금 유보되었다.

물론 그의 심장을 통해 몸속으로 침입한 물의 창이 하나하나 날카로운 가시로 변해 혈관 속을 헤엄치고 있었기에 더는 살아날 가망이 없었지만.

“대체 어떻게, 네년들 같은 집단을…… 그뿐만이 아냐, 그렇게 강한…… 대체 왜…….”

“에이, 뭐야. 그냥 에반 공자가 부러운 거였어?”

낙원유랑 길드는 요마대전 3 본편에서 던전 도시가 흥하든 망하든 주인공과 함께하며 어떻게든 던전 도시를 지켜 내는 의리파 길드다.

게임 내에서 그들에 대한 묘사 또한 그렇고, 에반은 그렇기에 단 한 번도 낙원유랑을 의심한 적이 없었다.

그렇지만 낙원유랑은, 앨런은 딱히 의리파라서 셰어든을 지킨 것이 아니었다. 단지 그쪽이 더 화려하게 활약할 수 있기 때문이었다.

앨런은 주목을 받는 것이 좋았다. 그는 자신이 주인공이라고 생각했다. 세상이 자신을 중심으로 돌고 있다고 생각했으며, 반드시 그래야 한다고 믿는 사람이었다.

"나는, 주인공이어야, 하는데……."
"으응, 진짜 별거 없는 놈이네."

요마대전 3의 주인공은 분명히 주인공 한 명이지만, 넓은 의미로 보면 낙원유랑 또한 당당히 주인공을 자칭할 정도는 되었다.
중요한 이벤트마다 빠지지 않고 등장하며, 매번 핵심적인 활약을 한다. 특히 길드 마스터인 앨런은 후반부까지도 주인공과 함께 스포트라이트를 받는 인물이다.
그렇기에 자신의 어둠을 자각할 일이 없이, 끝까지 영웅으로 남을 수 있었다.

"그 망할, 꼬맹이만…… 없었으면."

그러나 지금은 달랐다. 지금 던전 도시의 주인공은 에반이었으며, 나아가 던전 기사단이기도 했다. 그 어린 나이에 던전 역류에서 톡톡히 활약하며 입지를 다진 그들 앞에선 던전 55층을 돌파한 앨런의 위명조차 빛이 바랬다.
실제로 그 굉장한 업적에 아무도 눈길을 주지 않았다. 던전 기사단이 정식으로 발족하기만 하면 던전 55층 정도는 금방 돌파하리라는 생각을 모두가 하고 있었기 때문이었다.

그래서였다.

앨런이 던전 도시에 불만을 품게 된 것은.
에반의 미소를 증오하게 된 것은.
그들이 내밀어 오는 손을 붙잡은 것은.

"오?"
"큭!?"

바로 그 순간이었다. 셀룬의 등 뒤에 나타난 검은 그림자가 셀룬의 등을 찌르려다 말고 앨런과 똑같이 물에 구속되어 붙들린 것이다.

시커먼 형체, 하지만 끔찍하리만치 농축된 밀도의 마나. 셀룬은 그것이 앨런의 힘이라는 사실을 바로 알아차렸다. 에반의 얘기로 시간을 끌면서 이런 농간을 부리고 있었을 줄이야!

"신기하네. 이건 진짜 굉장한 스킬이잖아. 룬을 발현하고 있지 않았으면 당했을 거야."
"하, 하하하하하……!"

바로 몇 달 전 55층을 돌파한 앨런은 자신의 업에 걸맞은 클래스를 획득했다.

그림자 용병. 전면에서 활약하는 에반에 가려 별 주목을 받지는 않지만 실은 던전 도시에서 누구보다 큰 활약을 하고 있는 그에게 걸맞은 능력이라며 신이 직접 말까지 걸었다.

그러나 앨런은 그것이 너무나 싫었다. 그는 주목을 받기 싫었던 것이 아니라, 주목을 받지 못했을 뿐인데.

그의 마음을 알면서도 지금 입장에 만족하라며 신들이 적당히 보상을 던져 준 것만 같아, 자랑해 마땅한 두 번째 클래스를 얻었음에도 불구하고 그것에 증오심마저 들었다.

지금도 보라, 별 활약을 해 보지도 못하고 바로 제재당하지 않았는가. 이런 한심한, 아무런 의미도 없는, 무가치한, 증오스러운…….

"배신자는, 나만이 아냐……. 마족, 들도…… 어둠을, 몰고……."

"뭐, 그러시겠지. 너도 같이 보고 있도록 해. 영원히 걷힐 일이 없는 어둠 속에서 말이야."

물론 셀룬은 그의 속내엔 아무런 관심이 없었다. 단지 에반의 얘기를 더 해 주지 않는다면 필요 없다고 생각했을 뿐.

"에잇."

그녀는 손을 내저었고, 그 순간 앨런의 그림자와 그의 본체가 모두 산산이 흩어졌다. 셀룬이 다루는 물의 끔찍한 압력에 분해되어, 소멸한 것이다.

그 어떤 흔적도 남기지 못하고 덧없이 사라지는 그의 마지막은 그야말로 엑스트라처럼 초라하기만 했다.

"어휴, 몬스터는 그렇다 치고 마족들까지 온단 말이야? 사람들 엄청 죽어 나가겠네."

눈 하나 깜짝 안 하고 던전 도시의 강자 한 명을 참살한 셀룬은 자신의 빗자루를 소환해 올라타며 한숨을 내쉬었다. 지금도 곳곳에서 들려오는 사람들의 비명 소리에 귀가 시끄러웠다.

심지어 누가 성문까지 열어젖힌 모양인데, 마녀들이 빠르게 움직였음에도 불구하고 성문이 열려 버렸다는 것은…… 앨런의 말마따나 배신자가 또 있다는 얘기다. 그것도 후작가 내에.

"으아, 에반 공자 슬퍼하겠다……. 내가 달래 줄 수 있을까? 내 차례가 오기는 하려나?"

아니지. 여기서 엄청 활약해서 도시의 피해를 줄인다면 어쩌면 가능성이. 어쩌면 그대로 침대까지 끌고 갈 수도 있지 않을까? 셀룬은 샘솟는 기대감에 두 눈을 크게 떴다.

"조오아써. 에반 공자, 내가 다 막아 볼게!"

본래 차기 대모로 내정되어 있던 프랑이 마을을 떠난 이래 기록적으로 어린 나이에 새로이 차기 대모로 내정된, 마녀 중에서도 최강의 실력자 중 한 명. 달빛 물의 마녀 셀룬이 빗자루를 타고 하늘로 날아올랐다.

어느덧 핏빛으로 물든 달이 도시를 붉게 비추고 있었다.

재앙의 밤이 열렸다.

❋❋❋

셀룬이 앨런을 처단한 바로 그 시각, 도시 곳곳에서 갖가지 재앙이 일어나고 있었다.

불과 얼마 전 깔끔하게 종료되었음에도 불구하고 던전 역류가 일어난 것은 물론, 병사들이 굳건히 지키고 있던 성문이 열리고 보호 결계가 해제되며 갑작스레 터무니없는 숫자의 몬스터들이 쳐들어온 것이다.

그 선두에는 마족 중에서도 상급에 속하는 고레벨의 마족들이 포진하고 있었다. 던전 탐험가들의 기준으로 친다면 적어도 던전 60층은 클리어해야 비로소 상대해 볼 만한 끔찍한 괴물들이!

[자아.]

[멋진 환경이군. 무리를 해서까지 나온 보람이 있었어.]

도시 외곽에 위치한 빈민가를 문자 그대로 쓸어버리며 마족들이 낄낄거리고 웃었다.

[타깃을 확보하기 전에 좀 놀아 볼까.]
[산 자들을, 인간들을 모조리 죽여라.]
[그분께서 원하시는 신선한 영혼들을 수확하자.]
[보다 많은 마력을. 보다 많은 피를!]

소동은 순식간에 확산되었다. 경비를 하고 있던 병사들은 눈 깜짝할 사이에 당했고, 도시에 무슨 일이 생기면 바로 대응해야 하는 아이언윌 나이츠는 어째선지 출동이 늦어지고 있었다.

자고 있다 변을 당한 이가 부지기수였고, 뒤늦게 병장기를 챙겨 나선 사람들은 던전에서, 하늘에서, 성벽 너머에서 끊임없이 솟아 나오는 몬스터를 마주하며 절망했다.

"이게 대체……!"
"마, 막아! 못 막으면 모두 끝장이야!"
"마족, 마족이 섞여 있는 것 같은데……!"
"대지교단은! 대지교단은 대체 뭘 하고 있는 거야!"

피와 절망이 도시를 뒤덮기까지 오랜 시간이 걸리지 않았다. 던전 역류가 마무리된 지 얼마 되지 않아 다들 방심을 하고 있던 것이 큰 이유이기도 했지만, 소라인 디 셰어든 후작이 자리를 비우고 있는 영향도 클 터였다.

"다들 무기 똑바로 들어! 멍청이들 같으니, 방심하면 바로 죽어!"
"하늘에서도 온다!"
"빌어먹을, 성벽 결계는 왜 뚫린 거야!"
"기사단은, 영주 휘하 기사단은!?"

그러나 바로 그 시각, 셰어든 후작저 또한 마족의 공격을 받고 있었다. 그냥 마족도 아니었다. 마족 중에서도 노블에 속하는 최상급 마족, 그들을 이끄는 요마왕 휘하 네 명의 사천왕 중 한 명인 삭멸의 샤벨카로부터!

[크하…… 정말로 열렸군.]
[모든 것을 멸하라. 그분의 이름으로, 이 도시에 파괴와 절망을 쏟아부어라!]

샤벨카와 놈이 지휘하는 마족 군단은 후작저에서 실크라인 왕궁, 혹은 다른 던전 도시로 통하게 설치해 놓은 게이트를 통해 튀어나왔다. 실로 황당하게도 가장 안전한 내부로부터 뛰쳐나와 후작저를 급습한 것이다!

"습격이다!"
"끄아아아아아악!"
"꺄아아악!"
"에릭 각하께서 위험하시다! 다들 서둘러!"

후작저에서 치솟는 끔찍한 마기에, 근처 기사단 숙소에 머무르고 있던 기사들은 영지 내부로 출동하기 이전에 모두 후작저로 모일 수밖에 없었다.
가장 먼저 도착해 샤벨카를 막아선 이는 물론 기사단장 미하일 디 에어로크였다.

[호오, 쓰레기들 중에도 제법 하는 녀석이 있었잖아?]
"마법사들은 서둘러 게이트를 닫아라! 기사단은 가장 먼저 에릭 각하와 마님의 안위를 확보하도록!"

미하일은 목청을 높여 부하들에게 지시하면서도 감히 스스로 에릭의 안부를 확인하러 갈 엄두는 내지 못했다.
이곳에서 자신이 샤벨카를 막지 않으면 그 순간 모든 것이 끝장난다는 사실을 이해하고 있었기 때문이었다.

"어디서 이런 괴물이……."
[크큭, 아직 모르는 모양이군. 품위 없게 무단 침입 따위를 하지는 않았어, 친구.]

샤벨카가 길게 자라난 자신의 손톱을 까딱여 허공에 마기의 흐름을 빚어내며 사악하게 웃었다.

[게이트는 쌍방이 합의하지 않으면 열 수 없다고. 즉, 우릴 초대해 준 이가 있었다. 그게 누굴까? 생각해 보면 알 수 있을 거야.]

"……설마."

게이트의 좌표가 변질되었다. 그것은 그리 간단하게 해치울 수 있는 일이 아니다. 후작저를 샅샅이 파악하고 있으면서 거기에 접근할 권한까지 갖춘 인물이 아니고선 불가능했다.

기사단장의 표정이 삽시간에 딱딱하게 굳었다.

"내부에 배신자가 있다고."

[한둘은 아니지. 결정타는 그 여자겠지만…… 말이야!]

샤벨카는 그 말과 함께 손톱을 휘둘러 미하일을 공격해 왔다. 미하일은 이를 악물고 검을 들어 샤벨카에게 맞섰다.

만약 던전에 들어가기 전의 그였더라면 밀렸을지도 모르겠지만 지금은 아니었다.

그에게는 레오 일행과 함께 던전에 들어가 쌓은 던전 레벨이, 영웅들과 함께 무수한 대련을 반복하며 쌓은 검술이, 무엇보다도 에반에게 전수받아 끊임없이 수련한 스킬 레벨이 있었다!

[칫, 얘기가 처음과 달라. 지원이 필요하겠는걸.]
"누구 마음대로!"

혼자 힘으로는 기사단장을 압도할 수 없겠다는 사실을 깨달은 샤벨카는 한숨을 내쉬며 지원을 부르려 했다.
그러나 그 직전, 아직까지 정체 모를 미지의 장소와 이어져 있던 게이트가 강력한 일격에 의해 무너졌다. 복구하려면 돈깨나 퍼부어야겠지만 그런 건 지금 고려할 때가 아니었다.

"기사단장님, 무사하십니까!"
"샤인인가!"
[허?]

게이트를 단숨에 파괴하며 나타난 이는 흑색의 집사복과 거뭇한 피부, 검붉은 두 개의 단검을 쥐고 나타난 청년. 물론 샤인이었다. 그의 고요히 빛나는 검은 두 눈이 샤벨카에게 꽂혀 있었다.

"……과연, 파악했습니다. 샤벨카, 사천왕이라는 최강의 존재 중 한 명입니다. 도련님께서 놈에 대해 말씀해 주신 적이 있습니다. 손톱 사이가 가장 치명적인 약점입니다. 대마성이 높아 마법사들로는 대적하기 힘듭니다만, 지금 저희들에게는 관계없겠군요."

[뭣!?]

"과연 도련님이시다!"

자신을 보자마자 대뜸 자신의 약점에 대해 언급하는 샤인을 보며 샤벨카는 전율했다. 자신의 약점은 오직 자신만이 파악하고 있는, 요마왕조차 모르는 비밀 중의 비밀인데 그걸 저 애송이가 어떻게?

아니, 자세히 살피니 놈은 결코 애송이가 아니었다. 손에 들고 있는 피 냄새 짙은 단검도 그렇지만 놈이 풍겨 내고 있는 기세는 황당하게도 지금 자신이 상대하고 있는 남자에게 밀리지 않았으니까!

[듣던 것과는 얘기가 정말로 많이 다른데……!]

"샤인, 다른 곳은 어떻지!?"

"최대한 서둘렀지만 벌써 많이 죽었습니다. 저와 같이 온 라이한 형이 되는 대로 많은 적을 자신에게 끌어당기며 피해를 줄이고 있지만……."

"에릭 도련님은!?"

"살아 계십니다."

샤인은 그 이상 얘기하지 않고 단검 위로 핏빛의 오러를 끌어올렸다. 그것을 본 샤벨카가 두 눈을 부릅떴다.

그 어린 나이에 오러를 다루다니! 마족에게 유효한 무기 중에서도 가장 두려운 수단이 아니던가! 사천왕인 자신조차 무시할 수 없는 힘이었다. 아니, 재수가 없으면 어쩌면……!

"조금 복잡해서…… 그 뒤는 이 자식을 해치운 다음에 얘기해야 할 것 같습니다."

"……알았다. 살아 계시면 되었어."

미하일 역시 오러를 끌어냈다. 두 남자의 또렷한 살의가 담긴 시선을 받으며 샤벨카는 식은땀을 흘렸다.

저렇게 능숙하게 오러를 다루는 절대자가 둘이나 있는 줄 알았다면, 결코 이렇게 혼자 당당하게 나오지는 않았을 텐데……!

[아무래도 조금 긴 밤이 될 것 같네…….]

"그리 오래 걸리지 않을 거다!"

놈이 뿜어내는 수십 줄기의 마기가 담긴 손톱 공격을 피하고 가르며 미하일이 정면에서 돌진했다.

동시에 샤인은 그 자리에서 모습을 감추며 샤벨카를 기습했다. 강자들의 충돌에 저택이 통째로 흔들렸다.

❋❋❋

초인과 사천왕의 격돌이 있기 10여 분 전, 영주 대리 에릭 디 셰어든의 침실.

에릭은 차가운 금속이 살 틈을 비집고 들어오는 기분에 눈을 떴다. 가장 먼저 마주한 것은 자신을 내려다보며 눈물을 뚝뚝 흘리고 있는 자신의 아내, 밀리아 디 셰어든의 얼굴이었다.

"미안해요, 여보. 정말 미안해요."

밀리아가 오열하며 그의 심장에 꽂아 넣었던 단검을 뽑았다. 생생한 피가 솟구쳐 그녀의 얼굴을 가득 적셨다.

"동생이, 저주가…… 말하는 순간 죽는다고 해서, 마족이……."

"……하. 결혼하기 전에 호구조사는 철저히 했다고 생각했는데 말이야."

울컥, 피를 토해 내며 에릭이 씁쓸한 목소리로 중얼거렸다.

동생 에반이 했던 말이 맞았다. 마족의 음모는 언제나 음습해서 방심하는 순간 배를 찔러 온다더니, 역시 동생 말을 들어서 손해 볼 것이 하나도 없다. 찔린 건 배가 아니라 심장이지만.

"미안해요, 정말 미안해요, 여보……."

"하나만 묻고 싶어. 그대의 사랑은 진실했던가?"

"내 사랑은 당신 하나뿐이었어요, 동생이 저주에서 풀려나는 것을 확인하는 대로 나도 당신을 따라가겠어요. 사랑해요, 에릭……."

밀리아는 피가 솟구치는 에릭의 가슴팍에 얼굴을 묻으며 흐느껴 울었다. 그런가, 하고 에릭은 어딘가 먼눈으로 그녀를 바라보며 고개를 들었다.

사방이 시끄러웠다. 절규가, 비명이, 고함 소리가 사방에서 날아들고 있었다. 어째서 이렇게 소란스러운데 일어나지 못했을까, 생각하며 테이블을 보니 어젯밤 마시다 남긴 찻잔에 담긴 차가 보였다.

그랬지, 어젯밤엔 밀리아가 직접 타 준 차를 마셨더랬다. 어쩐지 지금도 몸이 약간 둔하더라니, 그 여파임에 틀림없었다. 동생이 형도 독 내성 수련을 하라고 권할 때 들었어야 했는데.

"그렇군…… 모두 이해했어, 밀리아."

"미안해요, 미안해요, 내 사랑……."

"아니."

에릭은 손을 뻗었다. 밀리아의 부드러운 금발을 헤치고 그녀의 매끈한 목덜미를 매만졌다.

"미안해할 필요 없어, 밀리아."
"에릭……."
"난 이제 당신을 사랑하지 않거든."
"어……?"

그는 아내의 목덜미를 움켜쥐어, 그대로 비틀었다. 가녀린 여자는 그대로 목숨을 잃었다.
그 순간이었다. 에릭의 심장에서 솟구치던 피가 잦아들기 시작한 것이다.

"후우, 큭……."

갈기갈기 찢긴 심장이 원래 상태를 되찾고, 상처를 입었던 근육과 뼈와 살이 시간을 되돌리는 것처럼 재생되었다.
쿵, 쿵, 심장이 평소보다 빠르게 뛰며 놀라운 속도로 전신에 혈액을 공급했다. 몸에 남아 있던 독 기운도 완벽하게 가시며 몸 상태가 완전해졌다.
그 순간 '팍!' 유리가 깨지는 소리와 함께 에릭의 팔에 채워져 있던 팔찌가 산산이 부서졌다. 에릭은 후우우, 길게 한숨을 내쉬었다.

"에반, 덕분에 살았다."

생의 교환. 후작가 보고에 있던 아티팩트 중 하나로, 도저히 쓸모를 알 수 없어 방치했던 것을 에반이 형이 끼고 다니라며 골라 준 것이었다.

죽음에 이르게 하는 데미지를 잠시 유보해 주며, 착용자가 자신을 죽이려고 한 상대를 죽이는 데 성공했을 때 그 상대의 생명력을 빼앗아 착용자를 치유하고 파괴되는 일종의 소모성 아티팩트라는 설명을 곁들이면서.

'항상 그렇게 제 몸을 걱정하는 녀석이, 이렇게 훌륭한 생존 수단이 있으면 본인이 쓸 것이지. ……그 덕에 살아난 내가 할 말은 아니지만 말이야.'

자신은 이미 보고에서 므이라슬의 목걸이를 챙겼으니 형은 이걸 쓰라며 챙겨 준 것이다.

매일 살아남아야 한다고 중얼거리고 다니는 주제에 실은 언제나 다른 사람을 위해, 특히 가족을 위해 필사적으로 노력하는 에반다운 일이었다.

물론 이 선물을 에릭에게 줄 때만 해도 에반은 '내가 날 죽이려는 상대를 이길 수 있을 정도로 강해지지는 않겠지' 하는 생각을 하고 있었지만 그건 모르는 편이 좋을 것이다.

"에릭 각하!"
"각하, 무사하십…… 각하?"
"에릭 님!"

에릭의 침실로 달려온 기사들, 뒤이어 나타난 샤인은 가슴팍이 피로 흠뻑 젖은 에릭과 목이 꺾인 채 바닥에 쓰러져 있는 밀리아를 보고 차갑게 얼어붙었다. 무슨 일이 있었는지 알아보지 못하는 쪽이 바보일 것이다.

"여기서 본 일은 입 밖에 내지 않도록. 밀리아는 침입자들로부터 나를 지키려다 죽은 것이다. 흔적도 없이."

그 말과 함께 에릭이 손을 뻗자, 바닥에 쓰러져 있던 밀리아의 사체에 불이 붙어 이내 어떤 흔적도 남지 않게 되었다.
그는 그렇게 그녀의 존재를 소거하고는 고개를 들었다. 절로 한숨이 흘러나왔다.

"……알겠나?"
"아, 알겠습니다!"
"명심하겠습니다, 각하!"
"좋아."

에릭은 서늘한 목소리로 말하며 자리에서 일어섰다. 돌아가는 상황을 보건대 정장으로 갈아입을 시간조차 없어 보였다. 그는 서둘러 자신의 무기인 스태프만을 챙겼다.

"빌어먹게도…… 이미 소모한 시간이 많군. 서두르지. 샤인, 너는 게이트 쪽으로 향해 줘. 이미 느끼고 있겠지만 강적이 있다. 나는 괜찮으니까."

"정말 괜찮으십…… 젠장, 알겠습니다. 되도록이면 빨리 라이한 형하고 합류해 주십쇼!"

"알았다."

마지막까지 걱정된다는 표정으로 에릭을 살피던 샤인은 곧 고개를 끄덕이곤 그 자리에서 사라졌다. 절로 감탄이 나올 만큼 빠른 속도. 아마 그라면 어떤 적이라도 해결해 줄 수 있을 터다.

"각하, 저희는……."

"저택 내에 있는 사람들을 구출하고 곧장 라이한 경과 합류한다. 그를 도와 최대한 저택 내부의 적을 빨리 해치우고 밖으로 나가야 해. 지금 이 순간도 영지민들이 고통받고 있어."

"옙!"

"알겠습니다!"

에릭은 시시각각 모여드는 기사들에게 빠르게 지시를 내리며 그들과 함께 내달렸다. 곳곳에서 들려오는 비명은 점점 더 그 소리를 높여 가고 있었다. 소중한 백성들이 울부짖는 모습이 눈앞에 생생했다.

그래서 그는 아직 울 수 없었다. 백성의 슬픔을 짊어지는 자는, 자신의 슬픔을 뒤로 미루어 둘 수 있어야만 했다.

'하…… 젠장.'

그는 그저 속으로만 중얼거렸다.

당장이라도 터져 나올 것 같은 한숨과 눈물을 억누르며.

'첫사랑은 이루어지지 않는다더니.'

❋❋❋

라이한은 고개를 들어 하늘을 바라보며 문득 자신이 어렸을 때의 기억을 떠올렸다.

싸우는 법도 모르면서 무턱대고 사람들을 지키겠다며 나서, 자신을 노려보고 달려드는 몬스터들을 피해 정신없이 도망 다녀야 했던 그때를.

'한때는 그걸 트라우마로 여겼었지.'

몬스터에게 제대로 저항도 하지 못하고 한심하게 도망만 쳐야 했던 그날의 자신이, 라이한은 부끄러워 견딜 수가 없었다.

다른 길이 얼마든지 있었음에도 무기술에 집착하고 매달리며 쓸데없는 고집을 부렸던 것은 전부 그것 때문이었다.

'하지만 에반 공자님은 내 꼴사나움을 용기라는 말로 포장해 주셨어. 어설픈 각오로 미련한 짓을 했을 뿐이었던 어린아이를, 영웅으로 만들어 주셨어.'

왕도의 펍에서 에반과 만난 날, 라이한의 트라우마는 흔적도 없이 녹아내렸다. 만약 라이한이 진정 누군가를 지키고 싶다는 마음을 뚜렷이 자각한 때가 있다면 바로 그때였다.

지킨다는 것을 업으로 삼겠다고 마음먹게 해 준 에반을, 그리고 그날의 대화를 라이한은 결코 잊을 수 없었다.

그를 위해서라도 언젠가 반드시…… 반드시 그가 말한 영웅에 걸맞은 기사가 되겠노라 라이한은 굳게 다짐했다.

"전부 다, 이쪽을 봐라—!"

그렇기에, 지금도 그는 방패를 들고 있었다.

"내가 네놈들을 상대하겠다! 이 라이한의 시체를 짓밟고 나서야, 너희는 내게서 풀려날 수 있을 것이다!"

[캬아아아아아아아!]

[무, 뭣!? 행동을 억제하다니 무슨 말도 안 되는……!]

후작저로 침입한 거의 모든 몬스터와 마족이 라이한의 목소리를 들었다. 그리고 목소리를 들었으면 그것으로 끝이었다. 놈들은 라이한의 전신에서 솟구치는 황금빛의 가호에 이끌려 그에게로 향했다.

"고작 그 정도냐! 인간을 멸하겠다며 소리를 질러 대던 것들이, 고작! 나 한 명 어쩌지 못해 빌빌거리고 있단 말이냐!"

[캬아아아악! 인간, 네놈을 반드시 찢어 죽이겠다!]

[죽여…… 저놈을 죽여!]

라이한의 목소리가 저택을 가득 채웠다. 후작가의 하인들을, 귀족들을, 병사들을, 기사들을, 마법사들을 그리고 신관들을 공격하던 모든 '악'은 강제적으로 라이한에게 살의를 품게 되었다.

아니, 모든 살의가 라이한에게 고정되었다는 것이 보다 옳은 표현이리라.

[인간, 더러운 인간!]

[놈을 죽여! 죽여죽여죽여죽여!]

"큭, 제법…… 아픈데."

얼마나 많은 숫자의 몬스터가 있는 걸까. 수백, 아니면 수천? 라이한은 자신에게로 덤벼드는 무수한 몬스터의 모습에, 그의 방패 위를 뒤덮는 더러운 숨결에 쓴웃음을 내쉬며 중얼거렸다.

평소 던전에서 상대했던 몬스터들과는 달랐다. 한 마리, 한 마리가 충분히 재앙을 몰고 올 수 있는 능력을 지닌 괴물들뿐이었다.

에반이 셰어든을 떠나기 전 마지막으로 던전에 들어갔을 때 비로소 이런 놈들과 마주하게 되었던 것 같은데…….

'역시 공자님과 함께 꾸역꾸역 던전을 내려가 두었던 것이 정답이었지.'

그렇게 던전 레벨을 올려 두지 않았더라면 오늘 어떻게 되었겠는가? 역시 에반의 선견지명은 탁월하다고 라이한은 새삼스레 자신의 주인에게 감탄했다.

물론 그가 이곳에 있었더라면 지금 자신이 이렇게 현실도피를 할 까닭도 없었겠지만.

[캬학!]

[빌어먹을 신의 벌레가!]

"샤인 이 자식, 늦는군. 진짜 만만치 않은 마족인가 보지, 젠장……."

던전 기사단 본부에 있던 이들 중 후작저에서 치솟는 끔찍한 마기를 느끼고 이곳으로 달려온 이는 샤인과 라이한뿐. 나머지 아이들은 세레이나의 인솔하에 던전 역류를 막으러 나갔다.

물론 그 인선에는 전혀 문제가 없었다고 생각하고 있지만, 혼자서 이 많은 고위 몬스터와 마족들의 공격을 받아 내야 하는 신세가 되고 보니 조금 눈물이 날 것만 같았다.

'차라리 내가 그 사천왕이라는 것의 어그로를 끌 수 있었으면 좋았을 텐데.'

하지만 아무리 신성한 외침을 내질러도 놈의 어그로가 이쪽으로 끌리지 않는 것을 보아, 라이한에게 주어진 전신의 가호에도 아직은 한계가 있는 모양이었다.

에반은 라이한이 몇 년만 더 수행하면 설령 요마왕이라도 그에게서 눈을 뗄 수 없게 될 것이라 장담했지만, 그 전에 이런 사태가 일어나 버렸다.

나도 공자님처럼 좀 더 진지하게 자신의 적성과 마주 봐야 했던 것이 아닐까, 라이한은 새삼스레 그런 후회를 했다. 에반을 제외하면 기사단의 그 누구보다도 열심히 수련했던 주제에 말이다.

[이놈 우리를 제대로 공격하지 못해!]
[막는 능력밖에 없는 게로군! 방패를 부숴, 부수면 된다!]
[부숴버려어어어어!]
"크으윽……!"

샤인이 성공적으로 게이트를 부수었다는 연락을 분명히 방금 통신기로 받은 것 같은데, 이 망할 몬스터와 마족 놈들은 어째 점점 늘어나는 것만 같았다.

라이한은 마력을 끌어올려 스스로에게 힐링을 넣으며 필사적으로 놈들의 공세를 버텼다.

인내하는 방패와 함께 드레인 실드를 발동하고 있기에 마력만은 넘쳐흐르도록 들어오고 있었지만, 문제는 데미지를 받는 과정에서 미약하게 그에게 쌓이는 독기와 저주였다.

"큭, 끈질기게."

그나마도 치유 마법을 발휘할 때마다 대부분 씻겨 나가지만, 완전히 사라지지 않고 남는 것들이 축적되어 가며 그의 신체를 피로하게 만들고 있었다.

저주 내성과 독 내성 수련도 보다 적극적으로 했어야 했는데, 라이한은 재차 후회했다. 오늘은 어째 후회할 일이 많다.

"빌어먹을 것들, 정말 바퀴벌레처럼 밀려오는구나!"

[저, 정말 인간이 맞는 건가? 요마왕님이라 하더라도 이쯤 되면 상처를 입으실 텐데……!]

[겁먹지 말고 밀어붙여, 어쨌든 놈을 상대로 우리가 죽을 일은 없으니까!]

몬스터, 몬스터, 마족, 몬스터, 마족, 마족. 놈들의 공격이 정신없이 라이한을 몰아붙였다.

그러나 단 한 걸음이라도 물러날 수는 없다. 그의 어그로가 풀리면 아차 하는 순간 다른 사람들이 죽게 될 테니까.

비단 후작가 식구들뿐만이 아니다. 이곳에 모인 끔찍한 괴물들이 도시로 풀려나게 되면 그때부턴 재앙이 걷잡을 수 없게 된다. 지금 도시에 있는 전력으로는 도저히 막을 수가 없게 된다는 얘기다.

"그러니."

내가 막을 수밖에. 라이한은 끊임없이 자신의 신체 내외부를 두들기는 물리력과 마력, 독과 저주에 굴복하지 않기 위해 스스로를 고양하며 방패를 다시 꽉 잡았다.

에반이 그에게 선물해 준 아티팩트. 반드시 지켜야 할 것들을 지킬 수 있게 해 주는 보물.

"공자님, 제가 반드시……."

반드시 이곳을 지킬 테니까.
제가 쓰러지기 전에 와 주셔야 합니다.

[기세가 약해지고 있다.]
[저주가 잘 듣는 모양이군. 마법은 신기하리만치 무효화하는 주제에 저주에는 약하다니.]
[저주를 퍼부어. 놈의 치유력으로는 저주를 온전히 해소할 수 없어.]
[크크크큭, 숨도 쉬지 못하는 석상으로 만들어 주…….]

그때였다. 탕! 경쾌한 소리와 함께 라이한에게 석화의 저주를 걸던 마족의 머리통이 터져 나갔다.
공격은 그것으로 끝이 아니었다. 어디선가 굴러들어 온 폭탄이 끔찍한 광량을 내며 모두의 눈을 가리는가 싶더니, 그 안에서 연속적인 폭발이 일어나 몬스터와 마족들을 쓸어버리는 것이 아닌가!

"라이한, 당신 정말 바보예요! 공격수와 함께 있어야 빛을 발하는 당신이 왜 혼자서 몬스터들한테 맞고 있는 건데욧!"
"한나!?"

라이한은 한결 줄어드는 부담에 안도의 한숨을 내쉬다 말고 발작적으로 소리쳤다. 총소리가 날 때 설마 하긴 했지만, 어째서 그녀가 이곳에 있단 말인가!

"나도 왔어요, 라이한. 정말 믿을 수가 없네, 왜 혼자 여기서 이러고 있어요?"

지쳐 가던 몸이 순식간에 쌩쌩해졌다. 그의 몸을 잠식해 가던 저주와 독도 깔끔하게 소멸했다.

적을 공격하고 물리치는 데 치중된 전신의 신성력에 비하면, 모든 분야에 두루 힘을 발휘하는 대지모신의 신성력은 저주와 독을 치료하는 데 있어선 한 수 위였다.

"세르피나 당신까지…… 이곳은 위험합니다. 뒤로 물러나 있어요!"

"위험은 무슨, 당신 혼자서 다 막고 있는데."

세르피나는 신성 마법을 영창해 마족과 몬스터들을 상대로 단체 디버프를 걸면서 코웃음을 쳤다. 그 옆에 선 한나는 온갖 폭탄을 꺼내 사방에 던져 대고 있었다.

"어쩐지 도련님이 그동안 만든 보조 무장을 전부 맡겨 놓고 출발하시더라니, 이런 일이 일어날 줄도 예상하셨었나 보네.”

“파괴력이 평소보다 강하더라니 에반 공자님이 만드신 거였구나.”

“라이한, 아주 잘하고 있어요! 조금만 더 막고 있으면 이것들 전부 제가 쓸어버릴 테니까 좀만 더 힘내요! 다른 건 몰라도 버나드 영감님한테 사격술 하나는 제대로 배웠으니까!”

“한나, 그 폭탄에 축복 걸 테니까 던지지 말고 대기해.”

“빨리 부탁해.”

오직 둘이서 던전을 탐험하고 있는 만큼 한나와 세르피나는 호흡이 척척 맞아떨어졌다. 라이한은 둘의 모습을 믿기지 않는다는 듯이 바라보았다. 둘이 언제 이 정도로 힘을 길렀단 말인가.

“도련님한테 자극받아서 어떻게든 이를 악물고 40층까진 통과했어요. 이만하면 우리도 도움이 되긴 되네요, 그렇죠?”

“라이한이 막고 있지 않았으면 우리 같은 건 바로 죽었을 텐데, 허세는.”

하지만 지금은 라이한이 있다. 모든 몬스터의 위치를 반강제적으로 고정시켜 주는 탱커의 존재는 한나와 같은 사수에게는 전투를 한낱 사격 연습으로 만들어 주는 효과가 있었다. 더욱이 그녀가 고위 연금술로 만든 폭탄과 보조 무장을 들고 있다면 상황은 더더욱 쉬워진다.

대주교의 재능을 지니고 있는 세르피나의 축복을 받아 완성된 갖가지 총탄과 폭탄의 위력은 몬스터와 마족에게 특히나 치명적이었다.

[저 여자들을 먼저 처리해!]

[빌어먹을, 건방진 것들이!]

"……보낼 줄 아나?"

갑자기 마구 쏟아지는 총탄과 폭탄, 신성 마법에 일대가 쓸려 나가자 단단히 열받은 마족과 몬스터들이 타깃을 전환하려 들었지만, 물론 라이한은 그렇게 놔두지 않았다.

'차라리 잘됐어. 내가 지켜야 할 사람들이 눈에 보이면, 가호는 더욱더 강해지니까.'

……단순히 지켜야 할 사람들에 속하는 정도가 아니다. 두 사람이 그에게 갖는 의미는 무척 컸으니까.

너무나 부끄럽고 미안해 차마 입에 담을 수는 없지만, 그렇기에 태도로 있는 힘껏 표현하기로 했다.

"전부. 내가 받아 주마!"

[크!]

[이 빌어먹을 인간이……!]

한층 더 강력하게 발동한 가호가 일대의 모든 몬스터, 마족의 움직임을 강제적으로 자신에게로 끌어당겼다. 그것이 물리력이든 마력이든 개의치 않았다.

힘의 흐름이 한 점으로 꺾여 수렴하는 모습은 일견 장엄하기까지 했다.

"크……! 한나, 세르피나. 부탁합니다!"

"흐으…… 얼마든지 맡겨요, 라이한!"

"제발 이대로 마무리되어야 할 텐데……."

신성하게마저 느껴지는 라이한의 모습에 한나가 의기충천하여 사격 속도를 높이는 옆에서 세르피나는 재차 신성 마법을 발휘해 라이한을 치료하며 걱정스레 중얼거렸다.

아까부터 후작저 심부에서 느껴지는 불길한 마기는 그렇다 치고, 돌연 바깥에서 느껴지기 시작한 또 하나의 강대한 마기가 신경 쓰였다.

희생자가 아예 없기를 바랄 수는 없지만, 부디 많은 희생자가 나오지 않고 이번 일이 정리되기를. 우리만의 힘으로 이 사태를 막아 낼 수 있기를……! 세르피나는 대지모신에게 간절히 기도하며 양손을 들었다.

❋❋❋

그러나 세르피나의 불안은 어긋나지 않았다. 그녀가 느낀 강대한 마기가 실시간으로 셰어든 상공에 나타나, 몬스터와 마족을 앞장서서 토벌하던 마녀들을 덮친 것이다.

"꺄악!"

"뭐야, 이거! 내 룬이 무효화되고 있어! 데빌 룬!? 설마 데빌 룬이야!?"

[칫, 일이 제대로 굴러가지 않는다 싶더니 설마 이렇게 곤란을 겪고 있었을 줄이야. 단 한 명 남은 직계를 죽이는 것이 그리도 어려운 일이던가!]

하늘에 거대한 검은 구멍이 생겨났다. 그 안에서 몸을 드러낸 이가 있었으니, 건장한 인간의 체구를 지닌 마족이었다.

검은 근육질의 피부 위로는 수십, 수백에 이르는 붉은 궤적이 겹치듯 그어져 있었는데, 현명한 마녀들은 그것을 보는 순간 그 정체를 눈치챘다.

"데빌 룬."

"진짜 데빌 룬이잖아. 맙소사, 크테아시이이이이이일!"

"설마 저런 존재까지 나타날 줄은 몰랐어! 아니, 미안해! 정말 미안해!"

크테아실이 순식간에 대죄인이 되었다. 그럴 만도 했다. 방금 나타난 마족은 설령 데빌 룬이 없어도 강대한 마기를 뿜어내는데, 데빌 룬의 힘을 지니고 있어 마녀들로서는 뾰족히 대항할 수단조차 없었으니!

"어, 어떡하지? 에반 공자와의 약속은 지켜야 하는데."

"목숨 걸고 싸우는 수밖에 없어."

[하…… 과연, 네년들이 이 가공할 힘을 만들어 낸 마녀라는 것들인가. 너희에게 감사하지 않으면 안 되겠구나.]

마족은 기겁하는 마녀들을 보며 피식 웃고는 허공에 선 채 그녀들을 향해 정중히 고개를 숙여 보였다.

[예의를 표하는 뜻에서 정식으로 소개하지. 내 이름은 제프렐, 거울의 제프렐이다. 위대하신 요마왕 폐하의 첫 번째 손가락이기도 하지. 인간들은 나를…… 그래, 사천왕 서열 1위라고도 부르더군.]

전신이 새카만 남자의 눈만이 새빨갛게 빛났다. 그는 마녀들이 지닌 룬을 바라보며 입맛을 다시고 있었다.

[내게 새로운 힘을 준 데다 이런 만찬을 마련해 주기까지. 너흰 정말 좋은 종족이구나.]

"으으, 마족을 멸하기 위해 탄생한 우리 마녀가 이런 취급을 받다니."

"크테아실 진짜 저주할 거야."

"에반 공자한테 다 이를 거야. 살아남을 수만 있다면."

"우으으, 에반 공자랑 첫날밤도 아직인데……."

"그러게 아무 남자나 붙잡고 일단 첫 경험은 치러 두라고 했잖아, 셀룬. 언제 훅 갈지 모른다니까……!"

남자에게서 느껴지는 농축된 마기에 마녀들은 침을 꿀꺽 삼키며 저마다 한 발짝씩 물러났다. 이 남자를 막지 않으면 도시가 망하지만, 막으면 자신들은 거의 확실하게 룬을 빼앗겨 죽는다. 진퇴양난이었다.

"우와아, 이거 큰일 났네."

[음!?]

그 상황에 파고드는 능청스러운 목소리에 마녀들은 물론이고 사천왕 제프렐의 고개마저 휙 돌아갔다.

분명 이 도시를 침략해 왔던 비행 몬스터 중 하나인 와이번의 머리 위에 천연덕스레 걸터앉아 있는 소녀. 이런 상황임에도 불구하고 그녀의 반짝이는 미모는 모든 이의 시선을 강탈했다.

[너는……?]

“마녀 언니들, 괜히 목숨 버리지 말고 나 대신 다른 곳을 도와줘. 저거랑은 상성 안 좋잖아?”

화려한 분홍색의 트윈테일이 상황도 모르고 폴짝폴짝 뛰었다. 사람을 뇌쇄하는 듯한 분홍의 눈망울이 한 치의 어긋남 없이 제프렐을 향했다.

“저건 내가 막아 볼게. 에반 오빠 올 때까지 버틸 수 있으려나……?”

실크라인의 왕녀이자, 현 던전 기사단의 멤버 중 한 명인 세레이나 L. 실크라인이 한숨을 내쉬며 손짓했다. 그 가벼운 동작에 지상과 공중을 가리지 않고 가득 몰려든 몬스터들이 일제히 제프렐을 노려보았다.

놈들은 분명 던전 도시를 침공했던 몬스터의 일부였다. 지금 그녀는, 습격자들을 붙잡아 자신의 힘으로 부리고 있었던 것이다. 몬스터 테이머의 권능으로!

[……그렇군. 가장 중요한 타깃이 이런 곳에 있었어.]

비로소 그녀의 정체를 알아본 제프렐의 입가에 떠오른 것은, 다름 아닌 미소였다.

[이런 인재를 여태껏 인간계에 썩히고 있었다니 어처구니가 없을 정도야. 기뻐해라, 인간. 너는 앞으로 우리 마족과 함께하게 될 것이다.]

"아항. 뭐, 대충 알았어. 오빠가 날 불안해하던 이유가 너희 때문이었구나."

세레이나는 마족의 말에 뭔가 깨달은 듯 고개를 끄덕이며 자신의 목걸이를 매만졌다. 그 순간 제프렐을 포위하고 있던 모든 몬스터의 몸이 번쩍였다. 단체 버프가 걸린 것이다.

"그럼 널 없애고 나면 울 오빠 걱정도 조금은 줄어들겠지. 이번에야말로 입술에 뽀뽀해 줄지도 몰라. 아니, 어쩌면 그 이상……."

[재밌는 소녀로군.]

제프렐이 양손을 펼쳤다. 놈에게서 뻗어 나온 마기가 가장 가까운 곳에 있던 몬스터부터 차례대로 습격해, 순식간에 모든 생명력과 마력을 고갈시켰다. 압도적인 실력 행사에 세레이나마저 입을 쩍 벌렸다.

[허나 나를 없앨 수 있는 것은 하늘 아래 단둘, 요마왕 폐하와 마신님뿐이다!]

"……후, 이거 어렵겠네에."

제프렐의 전신에 깃든 데빌 룬이 빛을 발했다. 그때까지만 해도 멍하니 그것을 지켜보고 있던 마녀들은 그것을 보며 허겁지겁 몸을 물렸다.

세레이나가 걱정되지 않는 것은 아니었지만 저 마족을 상대로 자신들은 룬 셔틀 그 이상도 이하도 아니었으니까!

"그럼 여긴 부탁해! 우리가 다른 구역 다 정리할 테니까!"

"진짜 미안해, 부탁해!"

"꺄아아아아아아악! 에반 공자, 부탁이니까 빨리 와!"

[다시 한 번 선언하지.]

그러나 제프렐은 도망치는 마녀들은 거들떠보지도 않은 채 입을 열었다. 어차피 이 자리를 정리하고 나면 마녀들은 금방 잡아먹을 수 있다 여겼으니까.

[너는 오늘부로 위대한 요마왕 폐하를 섬기는 군단에 속하게 될 것이다.]

"미안한데."

세레이나의 눈이 날카로워졌다. 모든 몬스터가 일제히 제프렐을 향해 쇄도했다!

"내가 섬기는 건 미래의 낭군인 우리 에반 오빠뿐이야!"

1진은 흔적도 남기지 못하고 소멸했다. 2진도 마찬가지였다. 사방에서 끌어모은 3진을 인정사정없이 놈에게 돌진시켜 그것마저 깔끔하게 전멸하는 순간, 비로소 세레이나는 조금의 깨달음을 얻었다.

"상대의 힘을 그대로 반사하는 거야?"

[눈도 좋군. 훌륭해. 물론 그 반대도 가능하다. 이렇게 말이야.]

마족, 제프렐은 그렇게 말하며 가장 가까운 곳에 있던 몬스터의 머리통을 붙잡았다. 몬스터의 체력과 마력을 모조리 빨아들여 소모된 만큼을 회복했다. 놈의 전신에 새겨진 데빌 룬이 음산하게 번쩍였다.

"하지만 그건 원래 없었던 힘 같네. 데빌 룬 자체의 힘이든 데빌 룬으로 본래의 권능을 반전시켰든, 둘 중 하나지?"

[……정말 놀랍군.]

제프렐의 입가에 더한 웃음기가 어렸다. 몬스터 테이머로서 지닌 재능만 해도 실로 경악스러운데 단순히 몇 번 보여 준 것만으로 자신의 능력을 읽어 내다니.

[조금 나중에 만났더라면 제법 위협이 되었겠어. 지금 마주

쳐 다행이군.]

“한 3년만 늦게 왔어도 감히 나한테 말을 걸게 내버려 두지도 않았을 텐데 말이야.”

세레이나는 한숨을 쉬며 손짓했다. 사방에서 그녀의 방패가 되기 위해 몰려오는 몬스터들 그리고 하급 마족들.

당연하지만 그녀의 통솔력…… 즉, 그녀가 한꺼번에 몬스터를 부릴 수 있는 숫자에는 한계가 있었고, 따라서 자신의 지휘를 따르던 몬스터가 죽어 나갈 때마다 이렇게 보충하는 것이었다.

그녀가 몬스터를 보다 많이 세뇌할수록 그 몬스터에게 희생당하는 사람들도 줄어들 테니, 저 마족이 몬스터를 어느 정도 죽여 주는 건 환영해야 할 일이기도 했으나…….

‘속도가 너무 빨라.’

저 마족이 여기 있는 몬스터들을 모두 쓸어버리는 데 얼마나 많은 시간이 걸릴까? 10분? 20분?

한 가지 확실한 사실은 설령 모든 몬스터가 죽어 버린다 해도 저 빌어먹을 마족 혼자 힘으로도 얼마든지 셰어든을 초토화시킬 수 있을 것이라는 사실이다.

‘에반 오빠가 엄살을 떨던 게 아니었어. 정말 이런 말도 안

되는 적이 아무런 전조 없이 나타나기도 하는구나…….'

4진이 갈렸다. 세레이나는 한정된 자원—몬스터—을 아껴야겠다는 위기감마저 들었다.

가장 우선시해야 할 것은 저놈의 움직임을 막는 것. 그리고 두 번째는 놈의 타깃인 자기 자신을 보호하는 것.

세레이나는 신속히 능력을 발휘해 자신을 보호하는 몬스터들을 집중적으로 강화하며, 다른 몬스터들로 제프렐을 겹겹이 포위하는 포위망을 쳤다. 놈의 능력이 발동하는 방식을 분석해 최대한 많은 시간을 버틸 수 있도록 몬스터들을 배치했다.

[어떻게든 시간을 끌어 보려 하는 의도는 가상하다만.]

세레이나의 의도를 익히 짐작한 제프렐은 피식 웃어 보일 따름이었다.

[시간을 끌어도 달라지는 것은 없어. 나는 결코 쇠하지 않으며, 누구에게도 굴하지 않는다.]

"하지만 난 기적을 믿거든."

거짓말이다. 세레이나는 이제 기적을 믿지 않는다. 그녀가 믿는 것은 단 하나, 에반뿐이다. 기이하게도 그 생각은 마녀들의 그것과도 제법 닮아 있었다.

'오빠, 부탁이야. 빨리 와서 도와줘……!'

기왕이면 혼자 힘으로 모두 해결할 수 있다면 좋을 텐데. 그러면 에반에게 한껏 잘난 척도 하고 그의 품에 안겨 애교도 마음껏 부릴 수 있을 텐데.

너무 분해서 눈물이 찔끔 나려고 했다. 그래도 적에게 속내를 들킬 수는 없기에 필사적으로 참았다. 하지만 그 모든 게 무의미했다.

[기적이라.]

제프렐이 그녀의 말을 비웃으며 양팔을 벌렸다.

[기적이라 함은…… 바로 이런 것을 말하는 것이다!]

제프렐의 전신에 새겨진 데빌 룬이 일제히 빛을 발했다. 검붉은 마기가 치솟아, 한순간 전방으로 확장되었다.

세레이나는 기겁하며 몬스터들을 조종해 일제히 놈을 덮쳤지만, 그 모두가 재가 되어 소멸했다.

모든 것이 재가 되었다.

"말도 안 돼……."

[이것이 바로 마신께서 내리신 은총. 요마왕 폐하께서 허락하신 힘! 꼬마야, 재능 넘치는 마족의 그릇아! 우리는 이것을 기적이라고 부른다!]

"안 돼."

세레이나는 본능적으로 중얼거리며 자신에게 남은 권능을 끌어모았다. 어떻게든 도시에 있는 몬스터들을 긁어모아 놈에게 돌격시켰다.

그러나 모두가 놈의 권능 앞에서는 덧없는 일이었다. 무엇보다도 그녀의 마력이 한계를 맞이하고 있었다.

"오빠가 준 포션이……."

[……이런, 설마 샤벨카가 밀리고 있나?]

세레이나가 당황하면서도 어떻게든 제 마력을 회복시키려 애를 쓰는 사이 셰어든에 함께 쳐들어온 사천왕 샤벨카의 기운이 약해지는 것을 느낀 제프렐은, 어처구니가 없어 두 눈을 크게 떴다.

[설마 그놈을 제압할 만한 강자가 있었단 말인가? ……여기서 놀고 있을 때가 아니었군. 넌 나와 함께 간다.]

"꺄!"

제프렐이 순식간에 세레이나의 눈앞에 나타나 그녀의 멱살을 붙잡았다. 그녀의 목걸이가 빛을 발하며 보호막을 만들어 냈지만 그것도 제프렐의 권능 앞에서 순식간에 분해되고 말았다.

[그 목걸이는…… 본 기억이 있군. 과연, 그 여자의 재능을 이었는가. 다만 그 여자보다 압도적으로 뛰어나다. 마족으로 재탄생하면 어디까지 강해질 수 있을까…… 정말 기대되는구나.]

"너는, 그 꼴을, 못 볼 거야…… 켁, 헤엑."

보다 기세 좋게 놈에게 욕설을 내뱉어 주고 싶지만 안타깝게도 놈에게 붙들려 있는 것만으로 세레이나의 체력과 마력이 급속도로 빠지고 있었다. 이놈은 정말 빌어먹을 괴물이었다.

에반과 함께 셰어든 던전의 심부를 파고들어 간 덕에 체력은 아직 여유가 있었지만 마력 쪽은 금방 위기가 찾아왔다. 이마에 송골송골 식은땀이 맺히고, 숨이 턱턱 막히고, 심장이 조여 오는 것처럼 아팠다.

울고 싶었다. 에반이 너무나 보고 싶었다.

"에반, 오빠아……."

[에반이라. 걱정하지 마라, 놈은 이미 죽었을 테니까. 우리 마족 부대는 세 개의 도시에 전부 군을 보냈고, 펠라티

로 향한 군은 양으로만 따지면 셰어든에 온 부대보다도 많으니까.]

"질이, 아니라…… 양?"

현기증이 일어 숨조차 제대로 쉬지 못하는 와중에도 세레이나는 피식 웃어 버리고 말았다. 그 모습에 마족은 실로 유쾌한 표정을 지었다.

[흐, 웃기는군. 놈의 이름이 이 도시에서 유명하다고는 하나 그래 봤자 귀족 도련님이지. 그 부대를 이끄는 것은 마족 중에서도 순혈로 불리는 노블이다. 나보다 약하다고는 해도 펠라티를 정리하는 데에는 충분…….]

"아아, 다행이다……."

세레이나는 진심으로 안도했다. 그녀라고 에반을 걱정하지 않은 것은 아니었는데, 그건 어쩌면 펠라티에 이 괴물 이상의 강자가 향하지는 않았을까 생각해서였다. 그러니까 요마왕 같은 것.

하지만 이것보다도 약한 놈이라면 안심할 수 있다. 오빠는 결코 당하지 않았다. 그리고 당하지 않았으면, 반드시 셰어든으로 돌아와 줄 것이다.

"그러니까, 올 때까지…… 버텨, 야……."

[제법 똑똑한가 했는데 결국은 어린 계집인가. 뭐, 됐다. 마족이 되거든 나약한 정신도 자동으로 교정될 테니.]

"으으아, 아아……."

아, 이젠 정말 위험한데. 분명 놈에게 붙들려 몸을 까딱할 수 없는 상황임에도 불구하고 온 세상이 빙글빙글 돌고 있었다. 온몸에 감각이 없었다.

그녀는 아주 어릴 적, 얼어붙은 호수에서 장난을 치다가 빠진 적이 있었다. 사방이 온통 어둡고, 춥고, 막막해서…… 지금이 마치 그때 같았다.

"아……."

그런데 그녀의 의식이 완전히 어둠 속으로 떨어지기 직전, 저 멀리서 공중을 딛고 달려오는 에반의 모습이 보이는 것만 같았다.

타이밍이 너무 좋아 절로 웃음이 나왔다. 그의 필사적인 표정이 어째선지 더욱 웃겼다.

어쩌면 환각일까? 환각이라면 심각하다. 아니, 환각이 아니어도 그렇구나.

환각이든 환각이 아니든, 세레이나는 남은 평생 에반의 저 모습을 잊지 못하게 될 테니까.

***

셰어든이 가까워져 옴에 따라 에반은 도시에서 날뛰고 있는 두 개의 치명적인 마기를 감지했다. 그중 하나는 활발했지만 점차로 희미해져 가고 있었으며, 남은 하나는 쇠할 줄 모르고 점차 거세게 타오르고 있었다.

아마 둘 다 사천왕이었다.

'미쳐 버렸어. 이 시점에 사천왕이 두 명이나 움직이다니……!'

마족들은 인간계에서 함부로 움직일 수 없다. 마계와 던전 사이는 그나마 어떻게든 왕복할 수 있지만 던전에서 바깥으로 나오는 데에는 크나큰 희생을 담보로 하기 때문이다.

짐작이 가는 바가 있다면 몇 년에 걸친 천둥새 길드의 암약. 그렇게나 단속하고 감시했음에도 끝내 잡아내지 못한 놈들의 악행이 사천왕의 소환에까지 이른 것인가?

아니, 하지만 이 세상은 넓다. 에반이 모르는 곳 어딘가에서 사천왕의 소환 의식이 거행되었을 가능성도 충분히 있었다. 그는 이를 악물었다.

'내가 사천왕을 대적할 수 있을까?'

힘에 대한 자신감은 충분히 있었다. 하지만 그럼에도 두려웠다. 사천왕이란 존재는 설령 요마왕을 클리어한 플레이어 파티라 해도 방심하면 당할 정도의 강자들. 단순히 레벨이나 스킬로 비교해 절대적인 우위를 점할 수 있는 잡몹이 아니었다.

공략법이 존재하지만 그럼에도 불구하고 100번 싸워 100번 이길 수 있다고 장담할 수 없는 괴물들. 그것이 바로 사천왕이다.

'……잠깐만.'

셰어든의 내부 정경이 희미하게 보이기 시작했을 때, 에반은 몸을 흠칫했다. 점차로 거세져 가는 사천왕의 기운에서 한 가지의 기운을 더 읽어 낸 것이다.

바로 데빌 룬의 기운이었다.

'안 돼…… 안 돼, 안 돼, 안 돼.'

에반은 데빌 룬을 상대하는 데에는 이골이 나 있다. 하지만 그것을 다루는 이가 사천왕쯤 되는 존재라면 사정은 다르다.

거대한 힘이 다른 거대한 힘을 품었으니, 당연히 상대하는 것이 더욱 까다로워질 수밖에 없지 않겠는가?

'이건, 이건…… 안 돼. 안 돼…….'

몸은 던전 도시를 향해 달려가면서도, 그의 마음은 동시에 후퇴하기 시작했다. 적의 모습을 제대로 확인하기도 전에 벌써부터 절망감이 밀려들고 있었다.

자신의 전력은 냉정히 판단하지도 못하는 주제에, 이럴 때만 적의 전력을 쓸데없이 정확하게 분석하고 게임 속 단위로 환산해, 거기에 겁을 집어먹고 있었다. 이게 다 빌어먹을 겁쟁이 같은 본성 때문이었다!

'안 돼. 안 돼. 안 돼. 안 돼.'

하지만 그럼에도 불구하고 몸이 계속 앞으로 나아가는 것은 어째설까. 머릿속으로는 결코 상대가 안 될 것이라 확신하고 있으면서 어째서.

어쩌면 드디어 에반이 죽음을 맞이하게 될 순간이 온 것일까? 죽음에 거스르지 못하는 엑스트라의 본성이 그를 지배하고 있는 것일까?

아니, 그는 죽을 수 없었다. 죽음을 확신하면서 그 안에 기꺼이 뛰어들 수는 없는 노릇이다. 지금이라도 도망쳐야…….

[제법 똑똑한가 했는데 결국은 어린 계집인가. 뭐, 됐다. 마족이 되거든 나약한 정신도 자동으로 교정될 테니.]

그때였다.

에반은 비로소 데빌 룬을 보유하고 있는 사천왕과, 놈을 막아서고 있던 이의 모습을 확인할 수 있었다.

"……세레이나."

얄궂은 우연이었다. 그도 그럴 것이 요마대전 4에서 세레이나는 사천왕 제프렐에게 잡혀 마족으로 개조되니까.

결국 이렇게 운명대로 흘러가는 것일까? 에반이 운명을 거스르려 했던 탓에 모든 시나리오가 뒤틀리고 당겨져, 그 끝에 세레이나는 마족에게 잡혀 가며 에반은 엑스트라로서 죽음을 맞이하는가?

"에반, 오빠……."

에반의 얼굴에 절망이 어리려는 그 순간, 세레이나가 에반을 발견하고는 희미한 미소를 지었다. 그것을 보며 에반은 자연스레 깨달았다. 실로 간단하고 당연한 깨달음이었다.

그는 저 아이를, 던전 기사단을, 에릭을, 아이언월 나이츠를, 던전 도시 셰어든을 지키고 싶어 그토록 힘껏 내달려 온 것이다. 언제나 죽는 엑스트라의 본능 때문이 아니라.

여태껏 그가 머릿속으로 한 복잡한 계산에는 아무런 의미도 없었다. 저 빌어먹을 사천왕이 얼마나 강하든 그딴 건 전혀 중요하지 않았다. 요마대전 4의 시나리오도 알 바가 아니었다.

"레이."

아리샤가 그에게 가르쳐 주지 않았던가, 그녀의 의지로 에반의 예지가 틀렸음을 증명해 주겠다고. 그녀가 옳았다. 에반이 게임의 시나리오에 접하는 방식은 처음부터 어긋나 있었다.

그것을 절대적인 진리로 취급할 이유는 어디에도 없었다. 그저 하나의 정보로 취급하면 되었던 것이다. 유리한 것은 취하고, 불리한 것은 쳐 내고, 위험한 것은 대비하고.

인식하고 준비하되, 그것에 휘둘릴 필요는 처음부터 없었다. 역할에 집착할 필요도 없다. 스스로 얻은 강함에 엑스트라니 주인공이니 하는 역할을 붙여 제한을 둘 필요도, 물론 없다.

그저 하고 싶은 대로 하면 되었다.

에반은 엑스트라가 아니다.

누구도 그를 엑스트라라고 할 수 없다.

그러니 스스로도 자신을 엑스트라라 칭해선 안 되었다.

누구도 그를 쥐고 휘두를 수 없다.

그것이 외도, 정해진 모든 길을 거스르는 자.

꾸며진 무대를 뒤엎고, 날것의 대지를 딛고 서는 자.

"레이!"

[크학!?]

자신을 가로막고 있던 모든 번뇌를 떨쳐 낸 에반이 비로소 허공을 박차며 돌진했다.

그의 팔을 타고 피어난 검보랏빛의 날이, 세레이나를 붙들고 있던 마족의 팔을 베어 냈다.

[끄으으…… 그아아아아아아아아가가가각!]

끔찍한 비명이 도시 전체를 채웠다. 고위 마족은 목소리를 내는 것만으로 피해를 발생시킨다. 사천왕인 제프렐의 비명은 일대 건물들을 모조리 무너트릴 만큼 강력했으나, 즉 그만큼 치명적인 상처를 입었음을 증명하는 것이기도 했다.

"레이!"

"오, 빠……."

놈의 팔을 베어 낸 에반은 세레이나를 품에 안고 그녀의 상태를 확인했다. 다행히도 목숨에는 지장이 없는 상태였다.

그야 마족으로 만들려면 죽일 수는 없었겠지. 그것이 세레이나의 목숨을 구했다. 정말 다행이었다.

"늦었어. 힝……."
"미안. 미안해, 레이. 나 대신 애써 줘서 고마워."
"나야말로, 고마워……."

세레이나는 그 이상 말을 이을 기력도 없어 보였다. 그는 세레이나의 목덜미에 끈질기게 달라붙은 제프렐의 팔을 쥐어 소멸시키곤 급한 대로 응급 포션을 먹여 그녀의 상태를 진정시켰다.

그런 에반을 제프렐이 믿기지 않는다는 눈으로 노려보고 있었다. 멀쩡한 손으로 잘려 나간 어깻죽지를 움켜쥔 채.

[내, 내 팔을.]
"반사의 제프렐이지. 지금 시점이면 사천왕 서열 1위던가. 심지어 데빌 룬까지 먹어 치워 강화된 모양이지만……."

데빌 룬은 이쪽의 룬으로 흡수할 수 있다. 힘에서 밀리면 이쪽이 잡아먹히겠지만 지금 그런 것은 상정하지 않는다. 자신의 능력으로 대적해 물리칠 가능성이 있는가, 그것만을 생각한다.

그렇다면 결국 남는 것은 놈의 반사 능력. 놈을 압도하는 스테이터스를 보유하고 있지 않는 한 물리든 마법이든 모든 공격이 반전되어 이쪽을 향하게 된다는 말도 안 되는 능력이었다.

허나 당연하지만 게임 시절엔 여기에도 공략법이 있었다.

그것이 지금도 그대로 먹힐지는 알 수 없지만, 일단 해 본다. 그것이 먹히지 않으면 그때 가서 다른 방법을 생각한다.

할 수 있느냐 없느냐는 중요하지 않다. 무조건 한다. 이긴다. 에반은 머릿속에서 모든 부정적인 가능성을 지웠다.

[내 팔으으으으으으으을!]

"……좋아, 이제 해 보자고."

에반은 우선 세레이나를 조심스레 근처에 눕히고 연금술로 만들어 둔 방어벽을 세워 보호했다.

단시간 내에 방어벽을 파괴할 수 있는 것은 제프렐 정도지만, 놈이 에반을 놔두고 세레이나를 공격하려 한다면 그때가 놈이 죽는 순간일 것이다.

그러나 안타깝게도 놈은 그럴 생각이 없는 모양이었다. 시선이 에반에게 고정되어 있었으니까.

[네놈, 그 마기는…… 설마 마신님의 마기를!?]

"그걸로 데빌 룬을 조종해 쓰고 있지. 흥미롭지? 이걸 전부 먹어 치우면 네 룬도 단숨에 두 배가 될 거야."

물론 그것은 이쪽도 마찬가지. 패자는 모든 것을 빼앗기고, 승자는 독식하여 강해진다. 자연의 이치였다.

[네놈은, 네놈은 설마. 아니…….]

제프렐은 에반이 세레이나를 보호하는 사이 자신 또한 상처의 응급처치를 끝내고는, 멀쩡한 팔을 들어 에반을 겨누었다.

상대의 에너지를 반전시켜 말려 죽이는 지고의 권능! 최대 출력으로 단숨에 에반을 미이라로 만들어 버릴 셈이었다.

[그럴 리가 없지. 이 자리에서 끝장내 주마.]

"하. 그럴 수 있을까?"

에반의 전신을 뒤덮은 검보랏빛 마기는 아직도 그칠 줄을 몰랐다.

에반의 스테이터스가 오랫동안 구속되면 구속될수록, 마기와 저주의 힘이 오래도록 모이고 고일수록 데빌 룬이 활성화됐을 때의 스테이터스 증폭률과 지속 시간은 증가하게 된다.

그리고 지난 오랜 시간 자신의 스테이터스를 구속해 온 에반의 증폭률은 가히 세 배에, 지속 시간은 수 시간에 달하는 수준. 이만한 힘을 가지고 대체 무엇을 두려워했던 것인가 스스로가 한심해질 정도였다.

엑스트라라는 지긋지긋한 족쇄를 벗어던진 순간 몸과 마음이 족히 몇 배는 가벼워진 기분이었다.

"야, 하늘 봐."

[쿡, 그만한 힘을 지니고 한다는 것이 고작 그런 기만……!?]

기만이 아니었다. 어느덧 하늘 위에서 수십 개의 끔찍하리만치 거대한 바윗덩어리가 떨어져 내리고 있었으니까. 그것도 모두 터무니없는 기운을 품고, 오직 제프렐만을 노리고!

[메, 메테오……!?]

그것도 하나가 아닌 다수! 그것을 본 순간 제프렐의 눈이 경련했다. 에반은 회심의 미소를 지었다.

'이게 고인물의 방식이다, 썩을 놈아.'

반사의 권능을 지닌 제프렐. 그를 공략하는 방법은 지극히 간단하면서도 어려웠다. 바로 정확히 같은 타이밍에, 정확히 같은 속성의 공격을 정반대 방향에서 동시에 가하는 것이다. 놈은 두 공격 중 하나만을 반사할 수 있기에, 나머지 하나의 공격은 그대로 맞게 된다.
게이머의 스킬 컨트롤과 파티 운용 센스를 동시에 시험하는 이 약점 공략은 갖가지 커뮤니티에서 말이 나올 만큼 화제가 되었는데, 컨트롤에 자신이 없는 고인물들은 이 약점에 기반한 공략 중 가장 간단하고, 가장 무식한 방법을 흔히들 택했다.

즉 되는 대로 쏟아부어 얻어걸리길 바라는 것. 정확히 같은 타이밍 같은 건 도무지 맞출 자신이 없으므로, 일단 무작정 모든 캐릭터로 같은 속성의 공격을 다연발로 때려 부어 그 안에 일치되는 타이밍의 딜을 누적시켜 잡는다는 말도 안 되는 방식!

치명타를 입어도 생존하게 해 주는 액세서리로 잔뜩 무장한 후, 포션을 인벤토리에 가득 채워 가며 이쪽은 어떻게든 회복을 하고, 놈의 극심하게 높은 마법 저항력을 뚫고 회복 불가 디버프를 걸어 버리면 몇 시간에 걸쳐 이 방식으로 잡는 것이 가능했다.

'스테이터스가 증폭된 지금이기에 헤븐 스로우를 중첩해서 사용하는 게 가능했어.'

실은 중첩도 아니고, 그냥 수십 개의 배틀 비드를 동시에 내던지며 헤븐 스로우를 발동시켰을 뿐이었지만. 어쩐지 될 것 같아서 해 봤더니 됐다. 이게 소위 말하는 깨달음이라는 것일까? 거기까진 에반이 알 바 아니었다.

다만 저렇게 쇄도해 오는 메테오가 놈과 연쇄 충돌을 벌이는 타이밍을 노려 회심의 일격을 꽂아 넣는 정도라면, 지금의 자신에게는 가능하다는 확신이 있었다.

"전부 같은 천중 속성이다. 반사시킬 수 있으면 어디 전부 한번 반사시켜 보시지!”

에반은 바닥을 박차고 놈에게 돌진했다. 뒤로 당긴 그의 주먹에 천지라도 붕괴시킬 수 있을 거력이 담겼다.

하늘을 뒤덮은 메테오로부터 제프렐이 피할 방도는 없다. 어떻게든 한 방을 먹이고, 반사의 후폭풍을 감당한다.

거기까지 해내면 이길 수 있다. 아니, 이긴다. 반드시.

[이럴 수가, 설마 정말이었다니. 정말로 이런 애송이가……!]

그러나 기이하게도 제프렐은 피할 생각을 하지 않았다. 에반을 방심시키려는 생각일까? 어쩌면 데빌 룬의 맞대결을 펼쳐 보려는 속셈일까? 이유가 어떻든 에반 역시 물러날 생각은 없었다.

메테오가 쏟아져 내려 제프렐을 강타하기 시작했다. 에반은 놈의 모습을 선명히 포착하고, 일직선으로 허공을 짓밟고 앞으로 나아가…… 주먹을 내질러 놈의 심장을 꿰뚫었다!

[카, 학……!]

반사는 발동할 기미조차 없었다. 이유는 간단했다. 에반의 스테이터스는 처음부터 줄곧 제프렐을 압도하고 있었고, 제프렐의 반사의 권능은 에반에게 통용될 리가 없었으니까.

[네, 놈…… 제로…….]

세프렐이 마기로 붉든 피를 토해 내며 영문을 모를 말을 지껄였다.

[안타깝게도, 모든 것이 늦었다……. 그분의 대계는 이미 시작되었으니…….]

"뭐라는 거야."

에반은 주먹을 뽑아 이번엔 놈의 머리통을 꿰뚫었다. 모든 마족은 심장과 머리통을 박살 내지 않고선 안심할 수 없기 때문이다.

하는 김에 놈의 전신에 새겨져 있던 데빌 룬도 모조리 뜯어내 부츠로 흡수했다.

[셰어든과, 펠라티는 지켰겠지……. 하지만 우리의 목적은, 이미 완수되었다…….]

그럼에도 불구하고 목소리가 들려왔다. 에반은 놈의 남은 사체를 갈기갈기 찢고 파괴했다.

[나의 소멸로 인해, 그분께서 너를 '드디어' 찾아내셨으니.]

목소리가 들려왔다.

[세상과 동화해 잠복하고 있던 저주가, 드디어 발현된다.]

목소리가, 들려왔다.

[너는]
[반드시]
[죽게 되리라]
[무엇을 하든]
[누구와 만나든]
[그 무엇도 이루지 못하고]
[좌절하며]
[나아가든 나아가지 않든]
[세상 모든 것의 미움을 받아]
[그 끝에 허무한 죽음을 맞이하게 되리라]

데빌 룬과 비슷한 필적의 문양이 에반을 감싸듯이 허공을 빼곡히 메웠다. 에반은 그 안에 깃든 농밀한 살의에 전율했다.
동시에 깨달았다. 이 저주가, 지금 그를 덮쳐 오고 있는 이 저주야말로 게임에서 에반이 그렇게나 죽어 나갔던 이유라는 사실을.
본편에는 한 번도 나오지 않았다. 나올 리가 없었다. 에반은 엑스트라였고, 게임은 그의 개인 사정은 그리 조명하지 않았으니까.

[죽어라]
[죽을 것이다]
[반드시 죽는다]
[죽어라]

그의 생애 이토록 끔찍한 저주와 직면한 적이 있던가? 대체 죽어 가는 와중에 제프렐이 어떻게 이런 저주를…… 아니, 아니다.

'세상에 잠복하고 있던 저주.'

제프렐은 그렇게 말했다. 놈은 이미 흔적도 남기지 못하고 죽은 것이다. 놈이 에반에게 저주를 걸 수 있을 리가 없었다. 그렇다면 이 저주는 이미 발동해 있던 저주라는 결론밖에는 내릴 수가 없었다.

누가, 언제, 어떻게. 질문 따윈 무의미했다. 지금 중요한 것은 이 저주를 어떻게 막느냐였다.

"누가…… 순순히 죽어 줄 줄 알고……!"

에반은 자신의 모든 기운을 끌어올려 저주에 저항했다. 그가 저주 내성을 수련한 것은 모두 이런 때를 위해서가 아니던가?

마력으로 전신을 뒤덮었다. 자신을 저주하려는 마기에 맞서 자신이 조종할 수 있는 마기를 내세웠다. 데빌 룬으로 강화된 스테이터스를 한계를 넘어 다시 강화했다.

스테이터스가 강화되어 저주 내성 또한 강화되었고, 데빌 룬은 거기서 그치지 않고 숙주를 보호하기 위해 그를 덮쳐 오는 마기마저 일부 흡수했다.

[죽어라]

[반드시 죽어……]

[죽으……]

[죽음을]

[반드시……]

에반의 전신을 뒤덮어 오던 저주의 기세가 약해지기 시작했다. 기세를 붙든 에반은 두 눈을 부릅뜨며 전력으로 저주를 거부했다.

기이하게도 에반을 지키려는 마기가 그를 저주해 오는 마기에 맞서 찬란하게 타오르고 있었다. 마기의 근원이라 할 수 있는 마신을 배신하고, 인간의 강력한 의지를 따르고 있었다!

"죽을까…… 보냐……! 절대로!"

[죽이라]

[죽어]

[죽어……]

"내가! 죽을까 보냐!"

죽지 않는다.

죽지 않는다.

반드시 살아남을 것이다.

이제 그런 건 지긋지긋해!

그는 살아갈 것이다!

[죽……]

[언제든]

[크고 작은]

[위기를]

[곤란을]

[위험을]

그 순간, 온갖 죽음으로 뒤덮여 있던 문자열이 일제히 파열했다. 대신해 나타난 것은 보다 약화된 저주. 에반은 그것마저 거부하기 위해 이를 악물었으나 애석하게도 힘이 부족했다.

저주 내성이, 그의 스테이터스가 너무나 부족했다. 애초에 그를 짓밟고자 하는 세계의 의지를 이만큼이나 이겨 낸 것도 기적이랄 수 있었다. 어쩌면 그의 직업인 외도 또한 거기에 영향을 주었는지도 몰랐다.

[위기를]
[곤란을]
[위험을]
[불화를]
[언젠가는 죽음으로]
[네놈을]

하나하나 불쾌한 문자열이 에반의 얼굴에, 등에, 배에, 가슴에, 다리에, 손에, 팔에 철썩철썩 달라붙었다.

달라붙는 순간 스며들어 사라졌으나 거부할 수 없는 저주를 받는 순간의 불쾌감은 도무지 견딜 수가 없었다.

"어떤 빌어먹을 새끼가……."

처음 나타났을 때의 기세에 비하면 터무니없이 희석된 저주가 그를 잠식한 후, 에반은 이를 갈며 중얼거렸다.

제프렐이 그의 손에 죽는 순간 발현했으니 아마 마족 쪽 인물이겠지. 어쩌면 요마왕, 혹은 마신 본인일지도 모른다.

“내가 뭔 짓을 했다고 그 개새끼가.”

어차피 죽일 생각이었지만, 요마왕을 쳐 죽여야 하는 이유가 하나 추가된 순간이었다. 에반은 이를 악물며 고개를 들었다.

그렇게나 죽여 댔음에도 불구하고 아직 이 도시에 살아남은 마의 기운들이 느껴졌다. 다만 저택 쪽에서 느껴지던 강대한 기운은 완전히 소멸한 것이, 아무래도 샤인과 라이한이 무사히 사천왕을 처리한 모양이었다.

‘둘이라면 해낼 수 있으리라 생각하고 있었지만…… 그렇구나.’

에반은 새삼스럽게 생각했다. 그가 부리고 있는 던전 기사단이 사천왕을 이기는 것은 당연하게 여기면서, 정작 그들보다 강한 자신이 제프렐을 이길 수 없을지도 모른다고 스스로 불안해했었다는 것을.

“바보 녀석 같으니.”

스스로의 어리석음에 질렸다. 하지만 이젠 그런 오류를 범하지 않을 것임을 스스로 알기에 조금은 후련하기도 했다.

그뿐인가, 에반이 늘 죽는 이유도 드디어 알아내지 않았는가?

그것은 에반이 엑스트라라서가 아니라, 그가 위험한 여자들의 사랑을 받기 때문도 아니라, 세상이 그를 저주하고 있기 때문이었다. 그것참 간단한 결론이다!

"죽지 않아."

저주는 벗겨 냈다. 물론 앞으로 세상 살아가기 조금 더 힘들어질지도 모르지만 이제 와 그런 것에 신경 쓸 때가 아니었다. 이전의 그가 각오하고 있던 것에 비하면 난이도 베리 이지 수준이었다.

"죽지 않아."

재차 스스로에게 들려주듯 중얼거리며 에반은 돌아섰다.
아직 정리해야 할 것들이 많이 남아 있었다.

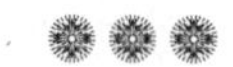

셰어든에 닥쳐온 재앙은 펠라티의 그것과 비해서도 한층 심각했다. 비록 양으로는 밀린다 해도 몬스터 한 마리 한 마리의 수준이 높았던 것이 가장 큰 원인이었다. 특히나 현 마왕군 사천왕이 두 명이나 동시에 쳐들어온 것이 컸다.

다만 다행한 점이 있다면 두 명의 사천왕 모두 보다 심각한 피해를 내기 전 실력자들에게 붙들려 처리되었다는 것. 그렇지 않았으면 셰어든은 도시로서 유지되기 힘들 정도로 파괴되고 말았을 것이다.

"멀티 샷! ……크."

무너진 건물의 잔해 위에 적당히 자리를 잡고서 정신없이 화살을 쏘아 내던 진은 문득 닥쳐오는 현기증에 이마를 짚었다. 심장이 금방이라도 터질 것처럼 조이는 기분이 들었다. 마나가 부족할 때 닥쳐오는 현상이었다.

품을 뒤져 마나 포션을 입에 물었지만 오늘만 해도 워낙 많은 포션을 마셨기에 점차로 그 약효가 떨어져 가는 것이 느껴졌다. 체력도 만만치 않게 소모되었지만 포션이라고 배에서 무한정 받아들일 수 있는 게 아니다. 그쪽은 정신력으로 버티는 수밖에 없다.

'그 시끄러운 꼬맹이들만 있었어도 한결 나았을 텐데.'

하지만 지금 녀석들은 펠라티에 있다. 듣자니 펠라티에도 이런 난장판이 펼쳐져 있다는데, 그 꼬맹이들이 과연 그곳에서 무사히 버틸 수 있을까…….

아니, 지금 내가 살아남기에도 바쁜데 대체 그 녀석들을 왜 걱정하고 있는 거지, 진은 입술을 악물며 애써 린과 란에 대한 걱정을 털어 냈다. 그때 저편에서 날카로운 목소리가 날아들었다. 마리의 것이었다.

"진, 이쪽 지원해 줘!"
"지금 가! 하지만 그 전에 뒤로 조금 빠져, 포위당한다!"
"알았어!"

용안을 활용해 드넓은 시야를 확보할 수 있는 만큼 진은 주니어 조를 통솔하는 리더 역할과 동시에 그들 전원을 원거리에서 지원하는 역할을 해낼 수 있었다. 아니, 그밖에 해낼 수 없는 일이었다.

그런 만큼 부담도 가장 컸지만…… 드래곤을 꿈꾸는 그가 약한 말을 입 밖에 낼 수 있을 리 없다. 지금은 그저 아무런 생각도 하지 않고 몸을 놀릴 뿐이었다.

"에나, 거기!"
"멜슨 비켜!"
"으, 응!"
[끼우웃!]

각자 품은 마음은 달랐지만 필사적으로 싸우고 있는 것만은 다른 아이들도 마찬가지였다.

셰어든 던전의 35층을 클리어하고 무사히 36레벨로 거듭난 신인족 아이들은 한 명 한 명 상급 전사의 능력을 지니고 있는 엘리트.

더구나 단장인 에반으로부터 모든 상황에 능숙하게 대처할 수 있도록 훈련을 받은 아이들은 어지간한 길드보다도 용맹한 활약으로 몬스터들을 상대하고 있었다. 당연히 그들의 존재는 무척 눈에 띄었다.

"저 아이들, 분명 이전엔……."

"에반 도련님이 휴가를 떠나시기 전에 또 한 번 던전에 들어갔었다고 들었지만, 설마 저렇게까지 성장했을 줄이야."

"여기 지원이 필요하다! 던전 기사단, 부탁할 수 있을까!"

"지금 가겠습니다! 다들 집합!"

진은 자신의 말을 따르는 던전 기사단 전원과 함께 조금의 쉴 틈도 없이 셰어든 시가지를 누비고 다니며 활을 쏘고, 쏘고, 또 쏘았다.

하지만 그들이 누군가를 지키기 위해 전투를 벌이는 바로 그 시간에 다른 곳에서는 미처 지켜 내지 못한 사람들이 죽어가고 있었다. 진은 그것이 그저 분했다.

그들이 조금만 더 강했더라면, 동료가 조금만 더 많았더라면 더 많은 사람을 지킬 수 있었을 텐데. 단장님께서 슬퍼하시지 않아도 됐을 텐데.

'아니…… 그보다도 내가 이들을 보다 잘 이끌었더라면, 내 눈을 보다 유용하게 활용할 수 있지 않았을까. 분해. 할 수 있는데도 하지 못한 모든 것이 분해.'

그 순간 진이 품은 분한 마음은 이제껏 진이 품고 있던 강함에 대한 동경과는 사뭇 다른 종류의 감정이었지만, 그것이야말로 에반이 그리고 일로인이 바라마지 않던 변화이기도 했다.

'강해지고 싶어. 더욱 멀리 보고 싶어. 더욱 깊이 판단할 수 있게 되고 싶어……!'

다른 이들의 희생이 있고서야 그것을 자각할 수 있었다는 사실이 실로 씁쓸하지만, 본디 세상일이란 그런 법이었다.

영웅은 평화롭기만 한 곳에서는 태어날 수 없는 것이다.

"이걸로 끝!"

"진짜 끝이야, 없어!"

"던전 마법진 제대로 복구했어? 이제 더 안 나와?"

"없습니다! 진짜 끝입니다!"

던전 역류, 지상과 상공을 가리지 않고 덮쳐 온 마족과 몬스터 무리로부터 셰어든을 지켜 내기 위해 치러진 전투는 에반이 셰어든에 도착하고도 무려 다섯 시간이나 더 이어진 후에야 간신히 마무리가 되었다.

에릭이 직접 아이언윌 나이츠와 병사들을 통솔하며 구조 작업과 전후 처리를 지시했고, 에반은 던전 기사단원들과 마녀들을 수습했다. 천만다행하게도 사망자는 없었다.

"다들 안 다쳐서 정말 다행이야."

"그건, 세레이나 님이 슬라임들을 우리 쪽에 붙여 주셔서……."

[꾸!]

[꾸웃!]

[꾸우우우웃!]

던전 기사단 멤버들을 일일이 살피며 에반이 하는 말에 에나가 겸연쩍은 표정으로 대꾸했다. 그에 장단을 맞추듯 귀엽게 우는 슬라임들.

그녀의 말마따나 기사단원들은 비교적 멀쩡한 데 비해 슬라임들에게는 크고 작은 상처가 나 있었다. 높은 재생력에도 불구하고 상처를 돌볼 틈도 없이 정신없이 날뛰었던 것이리라.

"그래, 레이가."

"샤인 부단장님이 먼저 저택으로 달려가시고 나서 세레이나 님이 우리를 인솔하셨는데, 어마어마한 적이 나타나니까 슬라임들이 저희를 보호하게 하고는……."

에반의 등에 업혀 쌕쌕 기분 좋은 숨소리를 내며 잠든 세레이나의 천진난만한 얼굴을 보고 있자면 도저히 그런 광경이 떠오르지 않지만, 에반도 직접 보지 않았던가. 그녀가 홀로 제프렐을 막아섰던 것을.

"고맙다, 레이."
"우웅……."

많이 지쳤던 것이리라, 세레이나는 몸을 뒤척이더니 에반의 등에 더 찰싹 달라붙으며 느른한 숨을 내쉴 뿐이었다. 당분간은 계속 이러고 있을 모양이었다.

"우리도 열심히 했는데."
"우리 진짜 열심히 했어, 에반 공자. 도시 열심히 지켰어!"
"도시를 지켜야 한다고는 했지만 이렇게 빡센 전투가 있을 거라고는 상상도 못 했어……."

뒤이어 공헌을 주장하고 나선 것은 바로 마녀들이었다. 아닌 게 아니라 정말 그녀들이 없었더라면 셰어든은 이 정도로 끝나지 않았을 것이다.
제프렐이 나타나기 전까지만 해도 그녀들이 분주히 돌아다니며 몬스터들과 '배신자'들을 손수 처단한 덕에 주요 시설들을 지켜 낸 것은 물론이고 많은 사람들을 지킬 수 있었던 것이다.

"다들 정말 고마워. ……여러모로 내 빈틈을 메워 준 것 잊지 않겠어."
"음."

에반의 진심이 담긴 감사에 멜로니아가 그거면 되었다는 듯 가벼이 고개를 끄덕였다. 하룻밤이니 뭐니 언제나 하던 농담을 꺼내지 않는 것만 해도 감사했다.

"그런데 크테아실은? 혹시 크게 다쳤어?"
"에반 공자한테 혼날까 봐 무서워서 숨었어. 나중에 우리가 끌고 올게."

에반의 말에 셀룬이 냅다 일러바쳤다. 하지만 다른 마녀들도 셀룬을 말리기는커녕 당장 크테아실을 끌고 오는 데 조력이라도 할 것 같은 표정이었다.
하긴 왜 아니겠는가, 그녀가 만들어 낸 데빌 룬으로 인해 제프렐과 같은 끔찍한 존재가 탄생할 수 있음을 알게 되었는데!

특히나 그녀들 마녀에게 위험한 존재들이!

"저번에도 말했지만 그건 마녀들 공동 책임이잖아. 너희가 진즉 너희끼리 해결했으면 이렇게 됐겠어, 안 됐겠어."

"윽, 그건……."

"그치만 개발자는 크테아실이니까."

"물론 우리가 못 막은 것도 있지만."

"그, 그런 무시무시한 놈을 가볍게 해치운 에반 공자는 역시 대단해!"

마녀들이 단체로 침몰하려던 찰나 셀룬이 에반을 띄우며 어떻게든 분위기를 되살렸다. 한숨을 쉬던 에반도 이내 피식 웃어 버렸다.

"다들 앞으로도 잘해. 약속해 줄 거지?"

"약속할게!"

"기억할게!"

"그러니까 앞으로도 그런 무시무시한 적이 나오면 에반 공자가 어떻게든 처리해 줘……."

에반은 마녀들을 다시 한 번 치하한 후, 그녀들에게도 건물 복원과 구조 작업을 도와달라고 부탁했다.

마침 켕기는 구석이 있던 마녀들이 그의 말에 얼른 고개를 끄덕이며 잽싸게 사방으로 흩어지자, 그 자리에는 단 한 명만 이 남았다. 물론 디폴트였다.

"정말 죄송합니다, 스승님."

"다 끝난 얘기를 언제까지 질질 끌 거야?"

"하지만 마음이 편하지 않습니다. 몬스터 중 데빌 룬을 타고나는 것들이 나타날 수도 있다는 얘기는 들었지만, 설마 고위 마족까지 벌써 그 힘을 다루게 될 줄은 몰랐습니다."

"그건 아마 놈의 지위나 특성과 관계가 클 거야. 모든 마족이 데빌 룬을 얻었더라면 지금쯤 세어든은 기둥뿌리 하나 남기지 못하고 무너졌을걸."

"그것도, 그렇지만……."

에반은 못내 석연찮은 표정을 짓는 디폴트의 어깨를 툭툭 두드렸다. 그는 분명 에반보다 한 살 연상임에도 불구하고 아직 이렇게 마음에 여린 구석이 남아 있었다. 마녀의 마을에서 자란 남아치고는 특이한 녀석이었다.

"너희는 이미 그 책임을 지고 있어. 더 미안해해 봤자 내가 이 이상 너희한테 뭘 받아 내고 말고 할 것도 없다고. 정 미안하면 그런 만큼 열심히 노력해서 강해지도록. 그리고 이 도시와 나를 지켜. 알아듣겠지?"

"……알겠습니다, 스승님."

에반의 말에 디폴트가 굳은 표정으로 고개를 끄덕였다.

"반드시 강해지겠습니다."
"그래. 믿고 있을게."

이 녀석이라면 강해질 수 있다. 주인공이니 엑스트라니 하는 말에 휘둘리지 않기로 마음을 먹었지만, 그럼에도 불구하고 무시할 수 없는 것이 그들이 타고나는 재능이니까.

에반은 디폴트가 지닌 요마대전 차기 시리즈의 주인공이라는 불안정한 위치가 아닌, 이미 그가 지니고 있는 재능과 독기를 믿었다.

"그러면 단장님, 저흰 이제 무얼 하면 될까요?"
"저희도 아직 구조되지 않은 사람들을……."
"아니."

디폴트를 먼저 보낸 에반은 뒤에서 들려오는 말에 기사단원들을 향해 돌아서며 쓴웃음을 지었다.

"마녀들은 벌칙을 수행하는 거고. 너흰 이미 할 만큼 했어. 이젠 쉬어야지. 다시 한 번 말하지만 다들 정말 애썼고, 잘했어. 기특하다."
"하지만 아직 다른 사람들이……."

"휴식도 일이야. 만약 이 혼란을 노리고 다른 무리가 쳐들어오기라도 하면 어쩔 거야? 너희는 중요한 전투 인원이고, 유사시 상황을 대비해 전력을 유지할 필요가 있어. 비전투 인원으로도 수행할 수 있는 일들을 도우려고 일부러 체력을 낭비하는 것이야말로 어리석은 짓이야."

"읏……."

"단장님……."

물론 에반은 이만한 전투가 있었던 곳에 바로 또 마족들이 쳐들어올 만큼 적들의 전력에 여유가 있으리라고는 생각하지 않았다. 애초에 방금 있었던 전투도 마족들이 터무니없는 대가를 치렀기에 가능한 일전이었으니까.

에반은 단지 그렇게 둘러대서라도 아이들을 쉬게 해 주려는 것이었다.

"움직일 수, 있는데."

"몸만의 문제가 아냐. 자, 단장 명령이다. 전원 기사단 본부로 복귀하도록."

"예, 옙!"

셰어든에 잔류하고 있던 던전 기사단 멤버들 중, 시니어조를 제외하면 가장 나이가 많은 아이가 올해로 열두 살인 마리다.

무수히 몰려온 몬스터와 마족들을 상대하는 것도 무척 힘든 일이었겠지만 그들이 남기고 간 파괴와 절망의 흔적과 마주하는 것은 어쩌면 아이들에게 보다 힘겨운 일이 될지도 모른다. 지친 아이들이 더는 상처를 입게 하고 싶지 않았다.

"우우웅."

"그래그래, 레이도 이제 침대에서 쉬자."

에반은 터덜터덜 걷는 아이들을 인솔해 기사단 본부로 향했다.

사방에서 건물의 잔해를 걷어 내고, 몬스터의 마석을 수거하고, 구조 작업을 하던 이들이 그들을 발견하고는 잠시 작업을 멈추며 정중하게 고개를 숙였다.

"고맙습니다."

"살려 주셔서 고맙습니다."

"고맙다, 얘들아."

"너희 덕에 우리 가게가 안 무너지고 버텼다. 하핫, 아주 듬직하더구나."

"엇……."

"아, 아니……."

곳곳에서 날아드는 감사 인사에 아이들이 움찔거렸다. 필시 본인들에겐 자각이 없었던 것이겠지.

막연히 지켜야 한다고 생각해 지켰을 뿐이고, 그나마도 자신들의 능력이 부족해 잘 해내지 못했다고 자책하던 아이도 있었을 정도니까.

하지만 당연히 사람들은 알고 있었다. 아이들이 어린 나이에도 불구하고 얼마나 필사적으로 전투를 치렀는지, 도시를, 사람들을 지키기 위해 얼마나 많은 피와 눈물을 흘렸는지.

"고맙다."

"정말 고마워요……."

"덕분에 살았다."

"다음에 오면 서비스 제대로 해 주지. 어린것들이 아주 제법이었어!"

처음 몇 번은 그저 당황할 뿐이었던 아이들은 거리를 헤치고 나아가면 나아갈수록 연거푸 들려오는 감사 인사에 어째선지 울 것 같은 표정이 되었다. 그 복잡한 심경을 충분히 짐작하는 에반은 입가에 옅은 미소를 띨 뿐이었다.

신인족으로 태어나 여기에 오기까지 많은 일들이 있었지만, 아이들은 이로써 완전히 던전 도시의 주민이 되었다.

이들은 이곳에서 살아갈 것이다. 분명 앞으로도 많은 일들이 일어나겠지만…… 오늘의 이 경험을 잊지 않는 한, 다들 잘 해낼 수 있으리라 믿어 의심치 않았다.

"그렇지, 레이?"
"우우우웅……."

에반이 자신의 등에 업힌 세레이나에게 작게 말을 걸자, 그녀는 괜히 크게 뒤척이며 에반의 목에 이마를 비볐다. 그는 피식 웃곤 사랑스러운 공주님을 제대로 고쳐 업었다.
오늘은 이대로 서비스를 해 줘도 괜찮겠지.
그녀 또한 셰어든을 지킨 자랑스러운 영웅 중 한 명이니까.

그렇게 해서 셰어든을 덮친 최대 최악의 위기는 도시의 사람들에게 많은 상처를 준 끝에 막을 내렸다.
셰어든 던전이 폐쇄되어 들어가지 못하게 되었음을 사람들이 알게 된 것은, 그로부터 몇 시간 후의 일이었다.

❋❋❋

지옥 같았던 밤과 낮이 샜다. 세레이나를 비롯한 던전 기사단 아이들을 쉬게 한 후, 에반은 셰어든 복구 작업에 직접 손을 보탰다.
제프렐과 싸울 땐 눈치채지 못했지만 그는 놈을 참살하고 마신의 저주에 저항하는 과정에서 천중을 한 단계 성장시키는 데 성공했고, 그 결과 광범위한 일대의 압력을 세밀하게 조절할 수 있는 능력을 얻었기에 구조 현장에서 발군의 능력을 발휘할 수 있었다.

"그쪽 안에 사람이 느껴져. 전부 나와, 윗부분만 없앨 테니까."

"에반 공자님, 부탁드립니다!"

힘들고 지치기는 모두 마찬가지였지만 그중 누구 하나 쉬거나 몸을 눕히는 이가 없었다. 모두 얼굴에 더러운 땀과 핏자국을 묻힌 채 몸을 움직였다.

"에반 공자님, 조심하십쇼! 그쪽으로 잔해가!"

"헛, 도련님! 그 밑에 산성액 웅덩이가!"

한 가지 이상한 점이 있었다면, 구조 작업에 참여하는 와중 유독 에반에게만 불행한 사고가 연달아 일어났다는 것이다.

건물 잔해가 에반 쪽으로 쓰러지거나, 몬스터들이 죽기 전 뿜어낸 독기나 산성, 마법의 흔적 같은 것이 에반에게 위협을 끼치거나.

"여기 내가 있어서 다행이네. 다들 조심해서 작업해."

"역시 에반 공자님이십니다!"

[꿋!]

"어라, 방금 슬라임이 튀어나와서 에반 도련님 대신 산성액을 흡수하고 죽은 것 같은데, 잘못 본 건가?"

그러나 이 정도로 에반의 몸에 위해를 끼칠 수 있을 리가 없다. 그는 표정 하나 바꾸지 않고 침착하게 상황에 대처했다.

천중이 발전하면서 기감도 이전에 비해 더 발달한 것일까, 그게 아니면 단순히 제프렐을 죽이고 존재 레벨이 성장한 덕일까. 그는 정예 기사라도 부상을 피하지 못할 상황에서 천중력을 컨트롤해, 때로는 슬라임을 산 제물로 삼아 모든 위험을 타파했다.

자신의 몸을 걱정해 다가오는 사람들을 괜찮다며 한 손으로 물리고 구조 작업을 계속하는 것은 물론이었다.

"나는 신경 쓰지 마. 사람들을 구출하는 게 우선이잖아, 안 그래?"

"하지만 공자님도 그렇게나 무리하셨는데."

"그 무시무시한 놈과 홀로 대적하시는 걸 봤습니다. 온 도시가 들썩였는데."

"하늘에서 운석이 수십 개가 떨어질 땐 기겁했습니다. 전부 그놈을 향해서 떨어졌으니 다행입니다만."

"역시 에반 도련님은 마도를 익히신 게 맞다니까. 그런데 그런 대마법을 구사하시고도 전혀 지치지 않으시는 겁니까?"

"아, 그건……."

에반은 누군가의 감탄을 시작으로 자신에게 쏟아지는 질문에 난감한 표정을 지었다.

역시 이제 와서 자신의 능력을 포장하거나 숨기는 건 불가능한 일이겠지. 애초에 뭘 숨기고 자시고 할 것도 없이 전력으로 붙어야 하는 상대였으니…….

"다 보고 있었습니다. 무척 지치셨을 텐데 쉬셔야 하는 것이……."

"난 정말 괜찮다니까."

"세레이나 전하도 쓰러지셨던데 괜찮으신 겁니까?"

"응, 생명에 지장은 없어. 지금은 쉬어야겠지만."

제프렐을 막아 낸 것에 대한 얘기를 하다 보니 화제는 자연스레 세레이나에게도 넘어갔다. 오늘 터무니없는 활약을 한 것은 비단 에반뿐만이 아니니까.

세레이나가 몬스터를 이끌어 제프렐에게로 돌격시킬 때부터 이미 셰어든에 살아 숨 쉬고 있던 모든 생명체가 그 광경을 숨어 지켜보고 있었다.

"아, 왕녀 전하도 정말 대단했지."

"정말 터무니없는 능력이었어. 그 덕에 우리가 살아난 것이나 다름없지 않나."

"평소엔 아무 생각도 없는 것처럼 웃고 다니시는 분이었는데."
"셰어든의 흥복이지, 흥복."

이전에도 알음알음 세레이나의 실력이 알려져 있기는 했지만 오늘처럼 압도적인 위용을 드러낸 적은 없다. 아마 오늘 이후로 그녀를 바라보는 사람들의 인식은 판이하게 바뀌겠지. 좋은 일이었다.

"도련님!"
"샤인."

에반이 자신과 세레이나를 향해 쏟아지는 사람들의 존경과 관심에 난감해하면서도 작업을 계속하던 중 샤인이 나타났다.
에반과 세레이나가 그랬듯 샤인도 사천왕과 싸우며 제법 성장을 했는지, 이전에 비해 움직임이 보다 은밀하고 빨라져 있었다. 본편에 나왔던 사일런트 나이트의 모습 그대로였다.

"저택 쪽은 이제 끝난 거야?"
"마무리되어 갑니다. 라이한 형이 엄청 무리한 덕에…… 나중에 진짜 한 소리 해야 한다니까요."

샤인이 라이한의 얘기를 하며 험악하게 인상을 썼다. 아니, 그러고 보면 원래 에반이 서둘러 달려온 것은 샤인의 말을 듣고 라이한의 부담을 덜어 주기 위해서였다.

그런데 정작 다른 일에 막혀 그를 돕지 못하다니. 에반은 살짝 뻘쭘해졌다.

"미안하다, 샤인. 바로 저택 쪽으로 가고는 싶었는데."

"알고 있습니다. 듣자 하니 제프렐이라는 놈을 상대하신 것 같은데. 그놈은 샤벨카보다 훨씬 끔찍한 놈이라고 도련님이 전에 제게 말씀해 주지 않으셨습니까."

라이한을 돕지는 못했다지만 만약 에반이 그 타이밍에 나타나 제프렐을 막지 않았다면 세레이나는 납치되고, 셰어든은 끝장났을 테니 그게 최선이라고 할 수 있었다.

더구나 제프렐을 해치우고 나선 그가 도우러 갈 필요도 없이 저택 쪽에서 알아서 해결을 한 모양이었고.

"대가는 무척 크게 치렀습니다만…… 어쨌든 사천왕을 하루에 둘이나 해치운 셈이 됐네요."

"음, 금방 새로운 사천왕이 나타나긴 하겠지만 말이야. 그래도 뭐, 그 자식들이 뭘 하려고 했든 이걸로 뭐가 크게 어그러지긴 했겠지. 한 몇 년간은 안심할 수 있을 거야."

펠라티도 셰어든도, 에반의 활약으로 인해 무수한 마족과 몬스터가 죽어 나갔으며 그로 인해 놈들은 제대로 목적을 완수하지 못하게 되었다. 그만한 전력을 잃었으니 당분간은 조용하리라.

물론 대놓고 일을 벌였던 만큼 전력이 회복되는 대로 더욱 귀찮은 짓들을 벌여 오겠지만, 그때가 되면 에반도 이렇게 당해 줄 생각이 없었다.

"……그래서 라이한 형은? 괜찮아?"

"네, 괜찮을 겁니다. 다만 그 뭐냐, 치열한 전투를 벌이다 보니 다들 좀 끓어오른 모양이라."

"끓어올라?"

"전투가 끝나자마자 한나 누나랑 세르피나 누나가 형을 그대로 보쌈해서 사라졌습니다."

"오우……."

그렇게 치열한 전투를 함께 치러 냈으면 없던 감정도 솟구칠 텐데, 익히 알 만한 일이었다.

그나저나 역시 그렇게 되었는가……. 에반은 지그시 눈을 감고 라이한의 앞날을 짧게 축복했다.

"본론은 그게 아니고, 집사장님을 비롯한 셰어든의 집사단과 함께 움직여 이번 일을 뒤로 조력한 자들을 모두 붙잡았습니다.”

“아.”

저도 모르게 히죽 웃고 있는 에반 앞에서 샤인이 담담하게 말을 이었다. 곧 에반 입가에 어렸던 미소가 깔끔하게 사라졌다.

“저택 내에서는 밀리아 부인…… 밀리아 디 레트론 영애가 가문에서 데리고 온 자들. 외부에서는 천둥새 길드 그리고 에버그린 길드와…… 낙원유랑 길드입니다. 피닉스 길드, 히트실드 길드가 저희를 도와줬습니다. 전자는 묻을 것이고, 후자는 공표할 겁니다.”

과연 빠른 일 처리였다. 애초에 세어든 가문의 집사단이 뒤에서 움직이는 일에 능숙하다고는 하나, 일이 터지자마자 바로 움직여 사건의 뿌리를 뽑아내다니.

“물론 핏빛 사과 쪽에서 대부분 먼저 손을 쓴 덕에 무력 충돌은 거의 없었습니다만…….”

“……그래, 다들 노력해 줘서 고마워. 정말로.”

배신자들에 대한 얘기는 어느 정도 마녀들로부터 들었기에 알고 있었다.

알고 있었지만, 그래도 뒷맛이 씁쓸한 것만은 어쩔 수가 없었다. 이래저래 과거 요마대전의 시나리오에 얽매였던 자신을 되돌아보는 계기가 되었다.

"뒤통수가 얼얼하네. 나도 이런데 에릭 형은…… 아니, 됐어. 형이 무사하면 된 거야."

"예, 적어도 겉으로 보기에는 멀쩡하십니다. ……처음엔 한 방 먹었습니다만, 병력을 통솔해 현장을 수습하는 모습에는 집사장님도 감탄하셨을 정도니까요."

상처를 입기 전에 깨달았더라면 더 좋았겠지만, 지금도 늦지는 않았다. 분명 그럴 터였다. 에릭도, 에반도…….

적어도 앞으로 이런 실수를 다시는 하지 않을 자신만은 이제 생겼다.

"고맙다, 샤인. 사천왕과 싸우는 것만도 힘들고 지쳤을 텐데."

"아뇨, 저는 그저 싸울 수 있는 적과 싸웠을 뿐이죠. 도련님이야말로 정말 고생 많으셨습니다…… 음?"

그런 말을 하며 새삼스레 에반을 살피던 샤인이 일순 눈썹을 찌푸렸다. 에반의 명으로 저주 내성을 수련하며, 데빌 룬의 힘이 깃든 시미터를 다루는 샤인이기에 눈치챌 수 있었던 변화.

바로 에반이 통제하고 있는 것과는 별개의 마기가 에반에게 부정적인 영향을 끼치고 있는 모습이었다.

“도련님, 설마 저주를…….”

“어느 정도 막아 냈어. 그리 대단한 건 아니고…….”

“그게 대단한 게……! 어떻게 대단한 게 아닙니까.”

무심코 목소리를 높였던 샤인이 주위에 다른 사람들이 있음을 깨닫곤 이를 악물며 소리를 낮췄다. 에반은 그저 난감한 표정을 짓고 있을 뿐이었지만 샤인은 이미 사태의 심각성을 깨닫고 있었다.

“도련님의 저주 내성을 뚫고 그만한 흔적을 남겼다는 건 대체 원래는 얼마나 대단했던 겁니까. 제프렐이 저주 관련 능력을 갖고 있다고는 말씀하신 적이 없잖습니까, 설마 그것도 예지하고 계셨던 겁니까? 그래서 도련님이 세레이나 전하를 대신해 그 저주를 받아 내신 겁니까?”

“아니야, 이 바보야. 진정해.”

“지금 진정하게 됐습니까? 제가 도련님을 지켜 드리지 못했던 탓에 도련님께 그런 저주가…….”

“아니라고.”

에반은 죄책감과 분노가 섞여 대체 어떤 반응을 해야 할지 모르겠다는 표정을 짓는 샤인의 머리에 가볍게 손날을 먹여 그의 입을 다물게 했다. 샤인은 혀를 깨물며 고통스러워했다.

"힘이 약해지는 저주는 아닌가 보군요, 젠장……!"

"네가 내 곁에 있다고 막을 수 있는 저주가 아니었어. 아무래도 세상에 잠복하고 있던 저주가 고위 마족이 내 존재를 인지한 순간 발동한 것 같아. 그래도 성공적으로 막아 냈으니까 걱정하지는 마. 그냥 조금 주위에서 사건이 터지기 쉬워지는 불행의 저주 같은 거니까."

"저주가 세상에 잠복하고 있다니 그런 게 가능합니까? 그야말로 요마왕쯤 되는 존재가 아니면……."

샤인은 말을 잇다 말고 몸을 부르르 떨었다. 그의 표정이 일순 딱딱하게 굳었다.

"지금 전부…… 전부 알았습니다. 더 설명해 주실 필요 없습니다."

"내 생각에 넌 지금 뭔가 오해를 하고 있는 것 같아."

"아뇨, 확실하게 깨달았습니다. 도련님의 그 기이한 능력, 세상의 저주…… 나아가 외도라는 클래스까지. 곰곰이 생각해 보면 너무 간단합니다."

"어……."

에반 자신도 모르는 것을 샤인이 어떻게 알고 있단 말인가. 자신에게 걸린 저주의 이유를 알게 되는 건 나중에 요마왕을 만나 직접 족치기 전까지는 불가능하리라 생각했는데!

그게 대체 뭔지 물어나 볼까 고민했던 에반이었으나 이내 그만두기로 했다. 제대로 된 대답이 나올 것 같지 않았으니까.

"하지만 절대로 그들이 생각하는 대로는 되지 않을 겁니다. 도련님 곁에는 언제나 제가 있을 테니까요."

"어떤 생각을 했길래 그런 결론이 나왔는지는 모르겠지만 지켜 준다니 고마워."

에반은 두 주먹을 불끈 쥐며 그렇게 말하는 샤인의 모습에 피식 웃고 말았다.

분명 그는 이번 사건으로 인해 자신이 범한 실수를 처절하게 깨닫게 되기도 했지만…… 지금 샤인의 모습을 보고 있자니 마냥 자신이 잘못해 오지만도 않았다는 생각이 든 것이다.

"절대로 도련님이 죽게 놔두지는 않을 겁니다."

"그래. 나도 절대로, 그 누구에게든, 죽어 줄 생각은 없어."

자신에게 죽음의 저주를 내리려 했던 놈을 직접 만나 멱살을 붙들기 전까지는 결코 죽을 수 없다. 에반의 눈에 어린 각오를 읽어 낸 샤인의 입가에도 미소가 어렸다.

"그렇게 나오셔야죠."

"흐, 앞으론 날 지키는 게 더 빡세질걸."

"안 그래도 여태까지가 너무 쉬웠던 겁니다. 어디 요마왕 습격까지는 제가 한번 막아 보죠."

"사천왕 한 명에 쩔쩔매 놓고 말은 잘하네."

주종이 서로를 마주 보며 입가에 미미한 미소를 띠던 그때, 저 너머로부터 누군가 달려오며 외쳤다.

"셰어든 던전이 닫혔어! 던전에 들어갈 수가 없다고!"

"……뭐?"

"던전 입구의 마법진이 완전히 빛을 잃었다니까!"

그 말이 들려온 순간, 샤인은 본능적으로 에반을 돌아보았다. 에반의 입가가 부들부들 떨리고 있었다.

샤인은 에반이 이것에 대해 짐작이 가는 바가 있다는 사실을 바로 알아차렸다. 그리고 물론 그것은 정답이었다.

'던전 폐쇄에 이은 대변화. 요마대전 3 중후반부에 일어나

는 이벤트…….'

주인공을 중심으로 돌아가는 메인 시나리오가 서서히 그 장대한 규모를 드러내며, 요마왕을 완전히 부활시키고자 하는 마족들의 음모가 본격적으로 가동했음을 알려 주는 이벤트. 그땐 바로 이 이벤트에 천둥새 길드가 연루되어 있었다.

던전의 술식을 뭘 어떻게 비틀었다는데 거기까지는 작중에서 해설되지 않았고, 중요한 것은 던전 폐쇄에 이은 대변화…… 즉 던전 내부 구조와 생태, 등장 몬스터까지 모두가 변화하는 일로 인해 탐험가들이 한층 더 힘든 던전 탐험을 강요받아야 했다는 것이다.

그리고 그 사태가 지금 발생했다는 것은…….

"시나리오가…… 본격적으로 가속하며 뒤틀리기 시작했어."

에반은 나지막이 중얼거리며 주먹을 꽉 쥐었다.

아직 요마대전 3의 주인공은 나타나지도 않았는데, 이런저런 이벤트를 모두 스킵 하고 바로 클라이맥스로 치닫다니 비겁하지 않은가, 하고 생각하며.

"이젠 정말, 더는 내 지식을 믿을 수 없어……."

하지만 그것은 그의 오판이었다.

본래 게임 시나리오에서는 한 달밖에 지속되지 않았던 던전 폐쇄는 2년이 넘도록 지속되었으며, 그동안 추가적인 이벤트는 일어나지 않았으니까.

주인공은 아직 나타나지 않았다.

엑스트라는 아직 죽지 않았다.

게임은, 아직 시작되지 않았다.

목소리가, 들려왔다.

[자, 그리고 이제 너의 차례가 왔어. 긴 잠에서 깨어나, 과실을 취할 때야.]

"……이건 말도 안 돼."

[운명의 인형아, 모두 그분의 뜻대로 이루어질 뿐이니 네 나약한 육신을 그분께 맡기렴. 그로써 너는 다시 태어나게 될 거야.]

"싫어, 절대로……."

[운명의 인형아, 마신의 대행자야.]

깊고, 그윽하고, 달콤하며…… 섬뜩한 목소리가.

[이제 눈을 뜨도록 해.]

내 안에서.

《죽지 않는 엑스트라》 11권에서 계속…….